京都寺町三条のホームズ❸

浮世に秘めた想い

望月麻衣

双葉文庫

目次

ましろあおい
真城 葵

17歳。高校二年生。

埼玉県大宮市から京都に引越してきた。

ひょんなことから『蔵』でアルバイトをすることになり、清貴に美術骨董品について教わるようになる。

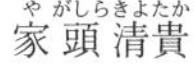

家頭 清貴

22歳。京都大学大学院1回生。通称『ホームズ』。

京都寺町三条にある骨董品店『蔵』の店主の孫。

物腰は柔らかいが、恐ろしく鋭い。

時に意地悪、“いけず”な京男子。

序章　『忍ぶ想い』

京都寺町三条付近は、いくつもの商店街が入り組んでいる。

続くアーケードは、すべてが同じ商店街だと思われがちだけれど、実は通りごとに違っている。

御池通から寺町通に入ると『寺町専門店会商店街』が続き、やがて『三条名店街商店街』と交差し、『寺町京極商店街』と『新京極商店街』が並行し、その先に『京の台所』として全国的にも知られている『錦市場商店街』が見えてくる。

こう聞くとなかなか複雑で、観光客は勿論、このことは京都市民さえもしっかりと把握していない人が多いようだ。

しかし利用者は、特に意識する必要もないのかもしれない。

御池通から『寺町専門店会商店街』に入り、『三条名店街商店街』に曲がるも良し、そのまま、『寺町京極商店街』や『新京極商店街』をのんびり歩き、『錦市場商店街』を散策するのも良いものだ。

さまざまな店舗が軒を連ね、小さな社寺と出会うこともできる。

骨董品店『蔵』は、そんな入り組んだ迷路のような商店街の中に、ひっそりと存在していた。

決して自己主張することがないその店構えは、通行人に通り過ぎられることも多いけれど、目に留めてしまえば、不思議な魅力を放っていることが分かる。

店内はシャンデリアにアンティークなソファー、カウンターの横壁には楢の拭き漆仕上げの和箪笥に本棚と和洋折衷で、レトロモダンなカフェを思わせる。

コチコチと針を進める大きな柱時計。そのリズムに合わせるかのように、かすかに流れるジャズの音色。棚の上に並ぶ、さまざまな骨董品に雑貨。

相変わらず、この店は、時が止まっているかのようだ。


この店でバイトをしている私――真城葵は、いつものように商品の埃を払いながら、ちらりとカウンターに視線を移した。

そこには端整な顔立ちの青年が、掛け軸を手に口元を綻ばせている。

彼の名前は、家頭清貴さん。

類稀な観察眼と鑑定眼、そして家頭という苗字から『ホームズ』という異名を持つ大学院生で、なおかつ国選鑑定人として知られるこの店のオーナー・家頭誠司の孫で弟子。

細身の身体、少し長めの前髪に白めの肌、鼻筋の通った美青年で、その外見にたがわず、紳士的で優しく、上品で物腰の柔らかい人だ。

しかしその一方で、結構（けっこう）な変わり者で、時々いけず。頑固（がんこ）で負けず嫌い、なおかつ、少し腹黒（はらぐろ）いという面も持ち合わせている。

最初は戸惑うことが多かったものの、ともに過ごして八か月。

私も随分（ずいぶん）と慣れたのか、今や彼の変な部分や、二面性にも驚くことはなくなっていた。

「――上田さんが持ち込んだ掛け軸、どうでした？」

私はカウンターに歩み寄って、ヒョイと顔を出した。

今、ホームズさんが、手にしている掛け軸は、私が彼の留守中に馴染（なじ）みのお客様である上田さんから預かっていたものだ。

「葵さんはどう思われますか？」と、私に掛け軸が見えるように、上体を少し反（そ）らす。

描かれているのは、『美人画（びじんが）』といわれるもので、いわゆる……。

「……浮世絵（うきよえ）ですね」

「ええ、そうです」

その浮世絵は、俯（うつむ）き加減（かげん）でキセルを手にしている女性の姿だ。

愁（うれ）いを帯びた表情が、とても美しいと思うけれど、息を呑（の）むような迫力は感じられない。

この浮世絵の真贋（しんがん）を問（と）われると、本物ではない気がする。

とはいえ、浮世絵はそもそも『版画（はんが）』なわけで……。

海外のリトグラフ（版画）では、本物は『オリジナルリトグラフ』と称され、それは主に作家本人が刷ったものであったり、本人の監修、もしくは工房で制作したものを指すと、以前ホームズさんからレクチャーを受けた。だとしたら、浮世絵もそうなんだろうか？

「……浮世絵版画の本物とニセモノって、どう違うんでしょうか？　リトグラフのように本人が刷ったかどうかの違いですか？」

浮かんだ疑問をそのまま口にすると、ホームズさんは「そうですね」と相槌をうった。

「浮世絵には大きく分けて、絵師が描いた『肉筆浮世絵』と、木版画による『浮世絵版画』の二種類があります。主に浮世絵は後者の木版画を指していまして、肉筆画は絵師による一点ものなので、大変価値があります。

木版画はというと絵師が版下絵を描いて次に彫師に渡り、最後に摺師が刷るという工程になっているので、同時に刷られたものが存在するわけです」

「絵師が直接彫るわけではないんですね」

「はい、各々、その道のプロが手掛けていったわけです」

「それじゃあ、浮世絵の場合『本物』というのは、肉筆画のみを指しているんですか？」

「肉筆画は勿論そうですし、木版画となると、江戸時代に彫られた『原版』からほぼ同時期に刷ったものが、大変価値があり、人によってはそれを『本物』と称していますね。同じ原版でも後の時代になっていくにつれて価値は下がっていきます。ただ、どうしても原版は劣化していきますし、後の時代に新たに作られた『復刻版』も多く存在するわけです」

説明を聞きながら、へぇ、と相槌をうって、再び浮世絵に目を落とす。

「……ええと、とても綺麗ですが、本物ではない気がします」

表情も髪も線も、とても美しいけれど、特別な雰囲気は感じられない。

「ええ、これは、歌麿の浮世絵版画ですね。おそらく昭和になってから刷られた復刻版でしょう」

「ウタマロって、あの歌麿ですか？」

「ええ、喜多川歌麿です」

浮世絵に詳しくはないけれど、勿論名前は知っている。

そう、喜多川歌麿は、北斎や写楽同様、世界的に名の知れた浮世絵師だ。

「……上田さんが、これを本物、つまり価値があるものと信じて持ち込んだとは思えないんですよね……」

ホームズさんは掛け軸を眺めながら、息を吐くように洩らした。

「えっ？　どうして、そう思われるんですか？」

上田さんは『常連のお客様』という以前に、ホームズさんの父・通称『店長』の親友だ。

二人は大学時代からの付き合いで、家頭家との関わりも深く、ホームズさんにとっては親戚のような感覚も持っているとか。

とはいえ彼自身はあまり目が利かないようで、『今度こそすごいものを見付けたで！』と、いつも興奮気味に品物を持ち込んでは、ホームズさんにニセモノと鑑定されてがっかりしているイメージが強い。

だからきっと、今回もすごいお宝を見付けたと思って持ってきたのではないか、と思うのだけど……。

「そもそも、現代において掛け軸に『本物』と言われる価値のあるものは滅多にありません。祖父は『世に出ている掛け軸の九割は、ニセモノだ』と断言しているくらいです」

「えっ、九割、ですか？」

これには驚いた。うちの亡くなった祖父も、たくさん掛け軸を持っていたけど、それじゃあ、あのほとんどはニセモノなんだろうか。

「どうして、そんなにニセモノが多いんですか？」

「ニセモノというか、『複製画』がほとんどということです。かつてこの日本において掛け軸というのは手頃なインテリアだったんですよ。庶民の家にも普通に床の間がありましたし、そこに飾る掛け軸を必要としていたわけです。

ですが、一般家庭では高価なものを買えるわけではありませんので、有名絵師の『写し』を購入したわけです。商売する側も需要があるわけですから、人気絵師の複製画を量産したわけです。それはその頃の文化だったわけで、それが現代になって家の蔵から掛け軸が出てくると、うんと高価なものかと期待してしまう方も多いのですが、そうではない場合が多いというわけなんですよ」

私は納得して、うんうん、と頷いた。

「つまり、掛け軸って、今でいうところのポスターみたいな感じだったんですね」

「ええ、そのくらい身近なものだったと思います。北斎や写楽、歌麿の『写し』もたくさん作られました。上田さんが持参したこの浮世絵はごく普通の復刻版ですし、それは上田さんも知っていると思うんです。あの人は浮世絵が好きなので」

そう話すホームズさんに、へぇ、と相槌をうった。

上田さんが、浮世絵が好きだなんて知らなかった。

「……おそらく、上田さんがこの掛け軸を持ち込んだ時、『これがなんぼになるか聞いといて』といった、いつもの言付けはなかったのではないでしょうか」

改めて問われて、私は腕を組んで、その時のことを思い起こした。

上田さんが、この掛け軸を持ち込んだ時――。

『あれ、ホームズ、おらへんの?』と、一人で店番している私を見てそう尋ねた。

『はい、ホームズさんは今、大学です』

『ほんならええわ、これ、ホームズに観るよう言うといて』

と、バッグからこの掛け軸を取り出して、カウンターの上に置いていったんだ。

「……そうですね。思えば、『なんぼになるか聞いといて』という言付けはされていなかったです」

その時のことを思い出して顔を上げた私に、ホームズさんは「やっぱり」という様子を見せる。

「上田さんは、この掛け軸を『鑑定』してもらいたかったわけではなく、その言葉通り、僕にこの絵を観せたかっただけなのでしょう」

ホームズさんは歌麿の美人画に目を落とし、そっと口角を上げた。

この絵を観せたかった？

「……えっと、価値はともかく、上田さんはこれが美しい作品だと思われたからですか？」

「いえ、この絵から僕に、何か察（さっ）してほしいことがあったんだと思います」

「つまり、この絵に上田さんからのメッセージが込められているということですか？」

「ええ、そうです」

「どんなメッセージでしょう？」

「この絵のタイトルを聞いたら、ピンと来るかもしれません」

「なんてタイトルなんですか？」

「『深く忍恋（しのぶこい）』というんです」

「……忍ぶ恋」私も改めて美人画を観る。

俯き加減で、愁いを帯びた面差しは、まさに、忍ぶ恋に胸を痛めているようだ。

上田さんは、ホームズさんに『こんな想いをしている人がいる』ということを伝えたかったのだろうか？

だとしたら……。

「一体誰が、こんな気持ちになっているというんでしょう」

もしかして、ホームズさんに対して、こんなふうに切ない想いを抱いている人がいるというのだろうか？

そう思うと、焦るような気持ちになってしまう。

どうして焦る必要があるのか……。

「父関連ですね」

「――へっ？　店長ですか？」

思いもしない人物に、声が裏返る。

「父はいつも、女性とお付き合いをはじめても、僕には隠すんですよ」

「ど、どうしてですか？」

「父は以前、『家庭に恋愛を持ち込みたくない』と言ったことがありましたが、おそらく、僕にいろいろ悟られたくないのだと思います」

「…………」

分かる気がする、と顔が引きつる。

こんな鋭い息子に、あれこれ読み取られたくないという店長の気持ちは、十分すぎるほどに理解できた。

「ですが、上田さんには、いろいろと打ち明けているようです」

やはり、その辺は親友同士。息子に話せないことも、上田さんには話せるのだろう。

「きっとですが、父の交際相手が結婚を考えているものの、父にその気がなく胸を痛めているのかもしれません」

「つまりこの浮世絵は、店長と交際している女性の姿を暗示（あんじ）しているわけなんですね」

「そうだと思われます」

「どうして、上田さんはホームズさんにこんな手の込んだメッセージを？」

「おそらく、『清貴には伝えるな』と父と約束をしているからでしょう。これでしたら、約束を破ったことにはなりませんし」

「なるほど。とんちのようですね」ぷっ、と笑ってしまう。

口では伝えていないから、約束を破ったことにはならないわけだ。

たしかに、この方法なら、『掛け軸を観せただけや』という言い訳ができるのだろう。

「上田さんは僕にこう言いたかったのでしょう。『あいつが再婚でけへんのは、お前に気を遣こうてるせいやで。せやから、お前がひと肌脱いでやり』と――」

「なるほど。それでホームズさんは、ひと肌脱ぐんですか？」

ワクワクして、身を乗り出した。店長の再婚大作戦といったところだろうか。

「脱ぎませんよ」

「えっ、脱がないんですか？　脱ぎましょうよ」

「脱ぐとか脱がないとか、今お客さんが入ってきたら、誤解されてしまいそうですね」

顎に手をあてて、くすりと笑うホームズさんに、瞬時に頬が熱くなる。

「――失礼しました。そもそも、父は僕を気遣って再婚しないわけではないですしね」

「そ、そうなんですか？」

「幼いうちならさておき、僕はもういい大人ですよ。そんなこと気遣うと思いますか？」

「あ、そうですよね。それじゃあ、どうして店長は再婚されないんですか？」

「もう独身生活も長いですし、今の状態が楽なんだと思いますよ。今さら結婚なんてしたくないのでしょう」

掛け軸を丁寧に巻きながら、あっさりとそんなふうに言う。

そんなものなんだ、と私は相槌をうちながら、掃除を再開しようと埃取りを手にした。

店内を見回して、ふと、壁に掛けられた大きな『書』に目を留めた。

これは有名な書道家の作品ではなく、この店のオーナーであり、ホームズさんの祖父・

家頭誠司さんが書いたものだ。オーナーは書が趣味で、時折、気まぐれに書いては、店に飾っていくことがある。

とはいえ『趣味』の一言では片付けられない、のびやかかつ繊細な美しい書。

さすが世界の目利きが自ら手掛けた『書』だと思う。

あの豪快なオーナーが、こんな文字を書くことが意外だった。

外面はさておき、内面はきめ細やかで、繊細な人なのかもしれない。

額の中には、和歌。

『しのぶれど　色に出でにけり　わが恋は　ものや思ふと　人の問ふまで』

――という、平兼盛の有名な歌だ。

「……先日まで、秋の歌が飾られていたから、今度は冬の歌を飾るのかと思えば、平兼盛の歌なんですね」

ジッ、と書を眺めたあと、私は振り返ってホームズさんを見た。

「ええ、何を思ったのか、先日、突然店にやってきて、その書を飾っていきました」

ホームズさんは帳簿に目を落としたまま、『書』を見ようともせずにそう告げる。

冷たく素っ気ない口調。

どうしてだろう、この『書』をあまり歓迎していない雰囲気だ。

「これって平安時代の『歌合会』で詠まれた歌ですよね？」

「ええ、そうです。『天徳内裏歌合』で詠まれた歌です。よくご存知ですね」

「『よくご存知』というほど知らないです。なんとなく本で読んだなというくらいで。天徳内裏歌合って、正式な名前も忘れていましたし」

決まりが悪くなって肩をすくめると、ホームズさんは微笑ましそうに目を細めた。

「……天徳四年に村上天皇は『歌合』、つまり、歌の優劣を競い合う勝負をしました。その最後、二十番目の大勝負に、壬生忠見が、『恋すてふ　わが名はまだき　立ちにけり　人知れずこそ　思ひそめしか』という歌を詠んだわけです」

「……その歌は、どういう意味なんですか？」

「現代風に言いますと、『僕が恋をしている、という噂がもう立ってしまった。人知れずあの子を想いはじめたばかりなのに』――という感じでしょうか」

「わあ、素敵ですね」

ホームズさんが現代風に伝えてくれたこともあって、平安時代の若い男性の恋心がダイレクトに伝わり、キュンとしてしまう。

人の心というものはいつの世も同じなのだろう。

「それに対して、平兼盛がこの歌を詠んだわけです」

壁に掛けた『書』を仰ぐホームズさんに、私も再び平兼盛の歌に目を向けた。

『しのぶれど　色に出でにけり　わが恋は　ものや思ふと　人の問ふまで』

こちらも恋の歌だ。これなら、私にも読み取れる。

壬生忠見の歌が、恋心を隠しつつも、どこか嬉しさや明るさを感じさせるものなら、こちらは胸に秘めた切なさや情熱を感じさせる。

「出揃ったふたつの歌があまりに素晴らしく、なかなか判定がつかなかったそうです。そんな時に帝が『しのぶれど……』と洩らしたことから、平兼盛の勝利となりました」

「拮抗した勝負だったんですね」

「そうですね。一説によると、負けてしまった壬生忠見は、その悔しさから悶死してしまった、なんて話もあるそうですよ」

「え、ええ？　悔しくて死んでしまったんですか？」

「信憑性のほどは分かりませんが、そのくらい悔しかったということなんでしょうね」

「そうなんですね、どちらも素晴らしいのに……。歌の優劣を決めるなんて、ちょっと残酷だと思いませんか？　だって判定者の好みによっても大きく左右されますよね？」

「ええ、同感ではありますが、いつの世も『芸術』というものは、人の勝手な好みで優劣がつけられて、時に悔しい思いをし、時に競い合って、より良いものが生まれてきたようにも思えます」

「なるほど、そうかもですね」

そうか、誰からも優劣をつけられることがなく、『皆の作品がすべて良い』となることは素晴らしいし、理想のようにも思えるけれど、それではそこで終わってしまうこともあるのかもしれない。

競い合うことで、素晴らしいものが生まれることもあるんだ。

「それにしても、オーナーはどうして突然、この和歌を飾ることにしたんでしょう？」

「……さあ、祖父は気まぐれですから、特に意味はないでしょう」

ホームズさんは、さらりと言って、再び帳簿に目を落とした。

特に意味はない、か。

本当にそうなんだろうか？

オーナーもホームズさん同様、なかなかミステリアスなところがあるから、意味がないとも思えないんだけど。

以前飾っていたのは、左京大夫顕輔（さきょうだいぶあきすけ）という人の、

『秋風に　たなびく雲の　絶え間（たま）より　もれ出づる月の　影のさやけさ』という歌。

その歌を飾った時には、

『これはな〝秋風に吹かれて漂う雲の切れ間から、洩れ出てくる月の光は、なんと清らかで澄（す）みきっていることであろう〟――という秋の歌や。秋の夜の美しさに魅（み）せられて、ついこの歌をな』と、オーナーはシミジミと言っていた。

ということは今回も、そんな感じなんだろうか。

「オーナーは、平兼盛のこの歌を彷彿(ほうふつ)とさせることに出会ったんでしょうかね」

「そうかもしれませんね。……にしても、どうにも忌々(いまいま)しいので、この『書』は片付けてしまいましょうか」

冷ややかにそんなことを言うホームズさんに、驚いて瞬(またた)いた。

「ど、どうして、忌々しいんですか？」

「……なんとなくです」

ホームズさんは、無表情で、スッと目をそらす。

一体どうしたんだろう？

首を捻っていると、カランとドアベルが鳴った。

いらっしゃいませ、と声を上げようとして、口を閉ざした。

そこにいたのは、店長。噂をすれば、だ。

バーバリーのコートにマフラーと、すっかり冬仕様で、とてもお洒落に着こなしている。

「お父さん、お帰りなさい。葵さん、僕はこれから大学に行くので、父と店番をお願いします」

ホームズさんは帳簿をパタンと閉じて、立ち上がる。

「あ、はい、分かりました」どうやら、店長と交代(こうたい)のようだ。

店長は無言でコートとマフラーをポールハンガーにかけて、ふらふらとカウンターまで歩み寄り、崩れるようにして椅子に腰を下ろした。その表情はとても暗い。

「て、店長？　大丈夫ですか？」

「お父さん、何かありましたか？」

ほぼ同時に尋ねた私とホームズさんに、店長は大きく息をついた。

「……原稿をすべて書き直すことになりました」

額に手をついて、俯きながらそう零す。

店長の本業は、作家だ。

主に時代小説を書いていて、なかなかの人気を誇っている。

「原稿というと、『時代恋愛小説を書いてほしい』という依頼を受けて、手掛けていたものですよね？」

その話は、私も聞いていた。今、時代小説ジャンルでは、恋愛を前面に押し出したものが受けているそうだ。

皇女・和宮の話や、義経と静御前、伊勢物語など、書店には、新たな解釈で描かれた時代恋愛作品が並んでいる。店長も出版社より依頼を受けたと言っていて、このカウンターで軽快にペンを走らせている姿を見ていたのだけど。

「ああ……。王道だけれど、『信長と濃姫』の物語を新しい視点で書こうとがんばっていたんだが……」

その言葉に私もホームズさんも、すぐに事情を察知し、顔を見合わせた。

つい先日、他の人気作家が『信長とその妻たち』なる時代小説を出版し、新たな解釈が斬新で面白いと、瞬く間に、ベストセラーとなったのだ。

店長はそのまま、頭を抱えるようにした。

「ドラマチックな歴史上の出来事なんて、もう、みんながみんな散々書いてしまっているんだよ。もう書くことがないんだよ。何も浮かばない。わたしのアイデアは、もう枯渇してしまったんだ……才能なんてないんだよ」ボソボソとそう洩らす。

「て、店長……」

店長は特別明るい人というわけではないけれど、常に朗らかな人だ。今まで見たことがないほどに落ち込んでいる店長の姿に、私は動揺を隠せずオロオロしてしまう。

好調に原稿を進めていたというのに、『信長とその妻たち』が出た今、ボツとなり新たな物語を書かなければいけなくなったわけだ。

作家のことはまるで分からないけど、それがどれだけ大変なのかは想像がつく。

「え、えっと、前に店長が源氏物語の企画で書き下ろしていた短編、とても素敵でしたよ。藤壺の女御と光の君の悲恋に焦点を当てたもの」

あれを長編バージョンにしてはどうだろう。そんな提案の気持ちを込めて言うも、

「葵さん、お気遣いありがとうございます。ですが、丁度同じ出版社で源氏物語を手掛け

ている作家がいるので無理です。もう、運にも見放されているんです」

店長は俯いたまま、低い声でそう洩らした。

あまりの暗さに、気圧されてしまう。

するとホームズさんが、スススッと私の側に来て、

「こうなった時の父は、どんな意見もマイナスにしか受け取れなくなっていますので放っておくのが一番です。気にしなくて良いので」と耳元で静かに囁いた。

「は、はあ」気にしなくて良いと言われても、どうにも気になってしまう。

今も伏せている店長をちらりと見ながら、落ち着かない気持ちでいると、

「大丈夫ですよ。まぁ、見ていてください」

ホームズさんは、口の前で人差し指を立てて、にこりと笑った。

「……は、はい」

こんな時だというのに、相変わらず魅惑的なその姿に、つい目を奪われてしまう。

「上田さんの真似をさせていただくことにします」

「上田さんの真似？」

ホームズさんはそのまま店の奥へと姿を消したかと思うと、新たな掛け軸を手に戻ってきた。

「――お父さん、行き詰まった時には芸術に触れるのが一番ですよ。ぜひ、この絵に触れ

て心を落ち着かせてくださいい。癒されますよ」

巻いたままの掛け軸を、そっとカウンターの上に置いた。

「………」

店長は何も言わずに、掛け軸に目を落とす。

「時間が許すのでしたら、気晴らしに鎌倉にでも行かれたら良いと思いますよ。店のことは気にされなくても良いですし」と、ホームズさんは優しい笑みで続けた。

「……鎌倉とは、唐突だね」

「気分転換に、京都以外の社寺をまわるのも良いかと」

ホームズさんはそう言い、柱時計に目を向けて「ああ」と背筋を伸ばした。

「もう、こんな時間ですね。それでは、葵さん、よろしくお願いします」

「あ、はい、お疲れ様でした」と頭を下げた私に、ホームズさんも会釈をして、コートを羽織り、店を出て行った。

カランというドアベルの音が、余韻のように店内に響いている。

「芸術か……」

店長は力なく息をつきながら、ポケットから手袋を取り出して、気乗りしない表情のまま掛け軸を広げていく。

息子がせっかくそう言ってくれているのだから仕方なくといったところなんだろう。

一方の私は、ホームズさんがどんな掛け軸をチョイスしたのか、興味津々だ。

「……わぁ」

広げられた掛け軸の中には、観音様の姿が描かれていた。

後光が差す中、左手に花を持ち、救いの右手を差し伸べている立ち姿だ。

慈愛に満ちた柔らかな面差し。色合いが繊細で優しく、とても神々しい姿だった。

ホームズさんが、この掛け軸を持ってきたわけがなんとなく分かる気がした。

「これは癒されますね……」

「ええ、とても美しい『聖観音』ですね」

「聖観音？」

「はい、観音菩薩には、多面多臂など、さまざまな姿がありますでしょう？」

「あ、はい、顔がたくさんあったり、手がたくさんあったりしますよね」

「そうした超人間的な姿ではない、一面二臂の姿を『聖観音』と称しているそうです」

へぇ、と私は相槌をうった。やはり店長も、こうしたことに詳しいようだ。

「……それにしても、清貴は、なぜわたしにこれを見せたのか」

店長は眉根を寄せて、腕を組んだ。

「えっ？　癒されるからですよね？」

「いえ、あの子のことです。絶対に、他に意図があるはずなんです」

「――ああ」納得して、大きく頷いた。

ホームズさん自身、『上田さんの真似をさせていただくことにします』と言っていたくらいだ。この掛け軸には、ホームズさんのメッセージが込められているというわけだ。

「鎌倉か……。あれも唐突でしたね」

店長は腕を組んだまま、うーん、と唸った。ホームズさんが『鎌倉にでも行かれたら良いと思いますよ』と言った言葉を反芻しているのだろう。

「店長はそもそも、本当に鎌倉がお好きなんですか？」

「ええ、好きではありますが、行き詰まるたびに行くところというわけでもありません」

「――となると、もしかしたら、観音様と鎌倉に何かヒントがあるのかも？」

「そうですね。京都以外の社寺をまわるといいとも言っていましたから、観音様が祀られている鎌倉の寺ということになるんでしょう。これは困りましたね」

「困る？」

「鎌倉には、観音様を祀る寺が少なくとも三十三はあるんですよ。『鎌倉三十三観音霊場』といわれているんですが」

「たくさんあるんですね。そのうち聖観音と関わりが深いお寺はどこになるんでしょうか」

「……そうですね」と、店長は棚から資料を取り出した。

「……光触寺、浄妙寺、報国寺、延命寺と……、ああ、十五か所もありますね」

「十五か所ですか。これまた、結構ありますね」

私も資料を覗いて確認していると、

「――そういえば」

店長は、はたと思い出したように、棚から新たな資料を取り出してパラパラとめくり、手を止めた。

そこには、木造の聖観音像の写真が掲載されている。

「――ああ、やっぱりそうだ」

「何か分かったんですか？」

「ええ、戦国時代にまで話は遡るんですが、鎌倉にかつて『太平寺』という尼寺がありましてね。ある武将がその寺に祀られていた『聖観音像』を持ち去ってしまったという事件があったんです」店長は資料を確認しながら、うんうん、と頷く。

「えっ、盗んだということですか？」

「まぁ、戦国時代の話ですから、『盗んだ』というニュアンスとは少し違うかもしれません。房総の武将・里見義弘が鎌倉を攻めた際に、太平寺の聖観音像と、『青岳尼』という住職を連れ去ったんですよ」

「え、ええ？　観音像だけじゃなく、お寺の尼さんまで？」

信じられない！　と目を丸くした私に、店長は愉しげに微笑んだ。

「きっとですが、彼にとって、その尼こそ、一番欲しかった宝なんですよ」

「……それは、つまり、その武将は太平寺の尼さんに恋をしていたということですか？」

「ええ、これが面白い話でして、その尼は、足利義明の娘で、里見義弘とは幼馴染みだったんです」

「幼馴染み！」

「はい、あまり文献が残されていないのですが、かつて幼馴染みだったこの二人は、実は想い合っていたのではないかと推測されているんです。なんといっても連れ去った青岳尼を正室にしたくらいですから。……彼は長年の想いを成就させたのでしょう」

「わぁ……」

思いもしないロマンスに、口に手を当てた。

さまざまな事情があり、尼になった娘と、その娘を力強く連れ去った武将。

その二人は幼馴染みで、ずっと想い合っていたなんて……。

「……ドラマチックですねぇ」

「ええ、本当ですね」

「その歴史エピソード、私ははじめて聞きました。有名な話なんですか？」

「いえ、メジャーとはいえないエピソードです。知らない方も多いのではないでしょうか」

頷いていた店長が、ピタリと動きを止め、私を見た。

「…………」

私も何も言わずに、店長を見詰め返す。

互いに言葉を交わさなくとも、言いたいことは分かっていた。

そうなんだ。

これが、ホームズさんからのメッセージだったわけだ。

「――そう、か。この二人を題材にしたら……。なるほど、面白いかもしれない」

ふっ、と笑う。その雰囲気は、いつもの店長に戻っていて、ホッとする。

「しかし清貴は、相変わらずですね」

「はい。でも、こんな回りくどいやり方をせずに、口で伝えたらいいのに」

「あの子は、作家であるわたしを立ててくれているんですよ。あからさまにアドバイスをしたりしません。なおかつ、頭の切り替えもさせてくれるんですよね」

「――そうかもしれませんね」

さっきの店長の状態では、口でアドバイスしても素直に受け取れなかったかもしれないわけで。軽い謎解きをしたことで気持ちがスッと入れ替わった上、頭が少し柔らかくなったというわけだ。作家である父親のプライドを損ねることも押し付けることもなく、大きなヒントをさりげなく与えたホームズさんは、やはりさすがだと思う。

店長は掛け軸を眺めながら、少し嬉しそうに目を細めている。

「それじゃあ、私も少しはお役に立ちたいので、コーヒーを淹れますね」

「ありがとうございます」

私は裏の給湯室に入って、コーヒーを淹れる準備をはじめた。

奥の棚には、上田さんから預かった掛け軸が保管されているのが見えて、急に先ほどの話が思い出される。

ホームズさんはあんなふうに言っていたけど、店長は本当に再婚をしたくないんだろうか。だって、さっきのように行き詰まって不安定になった時、愛する人が側にいてくれたら、と思うことだってあるだろう。

「どうぞ」カップをカウンターに置くと、店長は「ありがとうございます」と会釈して、嬉しそうにコーヒーを口に運んだ。

「……あの、店長って、再婚したくなったりしないんですか？」

ポツリと尋ねると、唐突な質問に驚いたのか店長はゴホゴホとむせた。

「あ、すみません、ぶしつけに」

「いえいえ、清貴が何か言っていましたか？」

店長はハンカチで口を拭って、私を見た。その瞳は、とても優しい。

「え、いや、あの、まぁ」上手く誤魔化すことができずに、目が泳いでしまう。

そんな私を前に、店長はくすりと笑った。

「……実はですね、上田づてに見合いの話が来ていたんですよ。なんでもわたしのファンだという素敵な女性がいるということで、見合いと知らされないまま、お会いすることになりまして」

「そうだったんですね」お見合いだったんだ、と心で付け足した。

「実際、お会いして、とても素敵な女性だったのですが、お断りしたんです。上田は清貴に気を遣っていると思ったようなんですが……」

話を聞きながら、うんうん、と相槌をうつ。上田さんとしては『こないなええ話どうして断るんや。もったいない！』と思い、あんな掛け軸を持ってきたのだろう。

「でも、店長はホームズさんを気遣って、お断りしたわけではないんですよね？」

「ええ、清貴というより、相手の女性を気遣ってのことです」

「――相手の女性を？」

どうしてだろう、と瞬く私に、店長は自嘲的な笑みを浮かべた。

「わたしはまだ……亡き妻を忘れられないんですよ」

そう呟いた店長に、私は口をつぐんだ。

店長の奥さんが亡くなったのは、ホームズさんが二歳の頃。今より、二十年も前の話だ。

「……彼女は、ずるい人でしたから」

少しの沈黙のあと、カップを手に静かにそう告げる。

「ずるい人、ですか？」

戸惑いながら、私は店長を見詰め返した。

「ええ、ずるい人です」

店長は、そっと頷いて、目を伏せる。

「一番美しい時に、一番愛しい時に、ふっといなくなってしまったんです。それはまるで美しく咲いていた花が一瞬で散ってしまったかのようでした。わたしの心には一番美しくて、一番愛しい妻の姿と思い出だけが残りました。そんなの、一生忘れられるわけがないでしょう？　その後にどんなに恋を重ねたとしても、誰も彼女には敵わないんです。再婚なんてできるはずもありません。妻より愛せないのに結婚だなんて、相手の方に申し訳ない話です」

そう言って、にこりと微笑んだ。

その笑顔には、愛しさと切なさが含まれていて、私は圧倒されてしまった。

「……店長」目頭が熱くなる。

「――さて、気を取り直して、がんばらなくてはなりませんね。せっかく清貴がアイデアをくれたんですから」

「は、はい。がんばってください」

店長は、「よし」と頷いて、鞄から新しい原稿用紙を取り出し、愛用のペンを手にした。

店内にカリカリとペンの音が響き出す。
先ほどの落ち込みが嘘のように、原稿用紙の上に勢いよく文章を書き綴っていく。
きっと近い将来、店長の書いた歴史恋愛ドラマを読むことができるだろう。
淡い幼馴染みの初恋と、青年武将の葛藤に、尼となった女性の切なさ。
やがて、決意を固めて、彼女を奪いにいく武将。
そんなドラマチックなことが、実際にあったなんて……。
――恋ってすごいな……と、私は小さく囁いた。
歴史上の話だけではない。
亡くなって二十年も経った今も、奥様を愛していると言い切った店長もそうだ。
そんなに強い想いに囚われるなんて――、恋は時に呪いのようだ。
空恐ろしくも感じるのに、どこか少しだけ、羨ましい。
浮かんだ涙を誤魔化すように、顔を背けるとオーナーの『書』が目に入る。

『しのぶれど　色に出でにけり　わが恋は　ものや思ふと　人の問ふまで』

平兼盛が詠んだその歌は、
――人に知られないようにと、この想いを心に秘めてきたというのに、とうとう顔色にまで出てしまっているようです。『何か物思（ものおも）いに苦しんでいるんですか？』と、人に問（と）われるようになってしまいました――、……という切ないような恋の歌。

そんな隠しきれない想いを綴った和歌が、店内に飾られた初冬。

私とホームズさんは、これから、『秘めた想い』にまつわるさまざまな事件や出来事に巻き込まれてしまうことになるのだけど――それは少し先の話。

第一章　『歌舞伎美人の恋慕』

1

暦は、十一月半ばを迎えていた。

町を美しく彩った紅葉が散り落ち、風が次第に冷たさを帯びていく。

気が付くと秋の気配は薄れ、冬の兆しが見えはじめている。

底冷えと言われている京都。日一日と、身を刺すような寒さが募る。

商店街を行き交う観光客は、コートに帽子にマフラーとすっかり冬仕様だ。

とはいえ、骨董品店『蔵』は、アンティークな形状のオイルヒーターが、優しく店内を暖めていて外の寒さはまったく感じられない。

私がはじめて寺町三条にあるこの骨董品店『蔵』に訪れたのは、まだ肌寒い早春の頃。

もう、冬を迎えるなんて、季節の移り変わりは本当に早い。

窓から目を離し、店内に顔を向けると、ホームズさんがバインダーを手に在庫をチェックしている。

ひとつひとつに丁寧に触れて確認する。真剣な眼差しに、凛とした横顔。スラリとしたシルエットが相変わらずとてもスマートだ。

「…………」

最近、ふとすると、あの時のことを思い起こしてしまう。

贋作師・円生との対峙を終え、源光庵を一歩外に出た時。

そっとホームズさんの手が伸びてきて、ギュッと私の右手を握った。

驚いて顔を上げるとホームズさんの目が真っ直ぐに私を見ていて……、しっかりと握られた手がとても熱くて……。

『……葵さん、僕は……』と、ホームズさんが、握った手に力を込める。

彼は何を言おうというのか。私はただ、ドキドキしながら、次の言葉を待っていた。

だけど、その時、秋人さんが『まだかよ！』と声を上げたことで、ホームズさんは口をつぐんでしまった。

『すみません、今度、ゆっくりお話ししたいと思います。秋人さんが近くにいない時に』

手を離して、前髪をクシャッとかきあげながらそう言った。

——あれから、約一か月。

その『今度』とは、いつなんだろう？

ホームズさんはそのことに触れるわけでもなく、何事もなかったようにいつも通りだ。

埃取りを手にしたまま、少し憎らしさを感じてホームズさんの背中を睨んでいると、

「どうかされましたか?」

視線を感じたのか、ホームズさんがくるりと振り返った。

驚きに息が詰まる。

「——あ、ええと。その、前に……」

「はい」

「源光庵で『今度ゆっくり、お話しします』って、仰ってたことなんですけど……」

モジモジしながら尋ねると、ホームズさんは「——ああ」と目をそらし、聞かれたくなかったことを聞かれてしまった、という弱ったような雰囲気で腰に手を当てた。

「そう、ですね。なんていうか……」

「は、はい」

「お礼を……したいと思っていまして」

「お礼?」

「はい。葵さんには励まされましたし、日頃、とてもお世話になっていますので」

「お世話なんて、そんな」

なんだ、そんなことか、と力が抜ける。

私は何を期待していたというのか……。

でも、それじゃあ、あの時ホームズさんは、『葵さん、僕は、何かお礼をしたいんです』って、言おうとしたってこと？

それは別に、『また今度』と保留にするほどのことでもないような気がするんだけど。

少し悶々（もんもん）としていると、カランとドアベルが鳴った。

「いらっしゃいませ」

扉に顔を向けると、初老の女性が息を弾ませていた。

「清貴ちゃん、いよいよ明日やで」

目を輝かせてそう言う彼女は、美恵子さん。同じ商店街で洋品店を経営するご婦人で、オーナーの古い友人だ。

「ええ、勿論、分かっていますよ」

ホームズさんは、にこりと柔らかな笑みを返した。

「もう明日やて。一年は早いわ」

「ええ、本当ですね」

嬉しそうに話す二人の姿に、私は店内の卓上カレンダーに目を向けた。

――明日は、十一月十五日。一体、何があるというのか。

「……えっと、明日が何か？」

ためらいつつ尋ねると、美恵子さんが勢いよく私に顔を向けた。

「何て、明日、顔見世のチケットが、いよいよ販売開始や」

顔見せ？　一瞬なんのことだろう、と思ったものの、すぐに歌舞伎の『顔見世』という文字が頭に浮かんだ。最近、ニュースなどで、よく目にしているからだ。

「……歌舞伎を観に行かれるんですか？」

美恵子さんの迫力に気圧されながら確認すると、彼女は「そうや」と頷いた。

「顔見世はな、京都人にとって、ほんまに特別やねん」

「はぁ……」

『顔見世』が歌舞伎の公演だということは知っている。だけどそれ以外のことは、まるで分からない。役者が一列に並んで頭を下げるイメージがある程度だ。

京都人にとって特別だなんて知らなかった。

「葵さん、『顔見世』とは文字通り、『役者の顔見せ』をするんですよ。歌舞伎の世界では一年に一回、役者の交代をするんです。交代後、十二月に、新たな顔ぶれで最初の興行を行うんですが、それを『顔見世』といいまして、京の冬の風物詩であり京都人にとって冬を代表する一大イベントなんですよ」

私の表情から察してくれたのだろう、すぐにホームズさんがいつものように説明してくれる。

「……つまり、十二月に、新メンバーで最初の興行をするということですよね」

「はい」

「そういうのって、新年にやるものかと思っていました」

「江戸時代、劇場の役者の雇用契約が十一月から翌年の十月まででした。つまり十一月に役者の顔ぶれが変わったわけで、その翌月に新たな一座を観客に披露（ひろう）した、ということから、十二月に顔見世が行われるようになったそうです」

さらに説明を補足してくれたホームズさんに、なるほど、と頷いた。

いつもながら、とても分かりやすい。

「葵ちゃん、よーく覚えとき。京の人間はな、年末に顔見世観劇という贅沢をして、これまでの一年を労い、また来年に顔見世を観るためにがんばろと奮起するもんなんやで」

シミジミと語る美恵子さんに、「へぇえ」と相槌をうつ。

「そのチケットが、明日発売なんですね」

「そうやねん。気を抜くとアッという間に売り切れやから、毎年清貴ちゃんにお願いしとるわけや。私もパソコンは得意やあらへんし、清貴ちゃんがおって助かっとるわ」

美恵子さんは、ホームズさんを見上げて嬉しそうに目尻を下げた。

「そうなんですね。ホームズさん、優しいですね」

「いえ、僕も自分のチケットを購入しますしね。ついでですよ」

「ついでって」さらりとそう言う彼に、ふふっと笑った。

「ついででも、ありがたいで。ほんなら、これ、食べてな。今友達と嵯峨野に行ってきたんよ」美恵子さんは、いそいそと紙袋をカウンターの上に置き、

「それだけ確認にきたんや。私もそろそろ行かな。清貴ちゃん、頼んだで」

そのまま、バタバタと店を出て行った。相変わらず、美恵子さんは元気な人だ。

京都のご婦人って、もっとのんびりしているのかと思っていたけれど、やっぱり人それぞれ。商売をしていると、また違っているのかもしれない。

「嵯峨野って言ってましたけど、美恵子さん、何を置いていってくれたんでしょうか」

「そうですね」と、ホームズさんは紙袋を手にし、

「ああ、『森嘉』の豆腐に飛龍頭、厚揚げに油揚げです。これは嬉しいですね」

中を確認して、心底嬉しそうな声を上げた。

「森嘉の豆腐って、美味しいんですか？」

「ええ、嵯峨野……、嵐山の方にある老舗の専門店でしてね。ひとつひとつ手作業で丁寧に作ることで知られているんです。柔らかくて腰が強く、とてもなめらかで美味しい豆腐なんですよ。豆腐に限らず、ひろうすも厚揚げも油揚げも、美味しいんです。今夜は湯豆腐ですね」

ホームズさんは、ほくほくした様子で豆腐などがどっさり入ったビニール袋を、裏の冷蔵庫に入れた。

「そんなに美味しい豆腐屋さんが、嵯峨野にあるなんて知らなかったです」

「創業は安政の頃で、天龍寺をはじめ、多くのお寺や料理店に愛されてきたようですよ。たくさんあるので葵さんにもお裾分けしますね。油揚げはトースターで少し焼いて、醤油で食べるのも絶品ですから」

「わっ、嬉しいです。ありがとうございます」

「僕も久々なので嬉しいです。美恵子さんに感謝ですね」

目尻を下げて言うホームズさんを見ながら、さすが、付き合いの長い美恵子さんは、ホームズさんの好みを分かっている、と感心していると、

「先ほどの『お礼』の話ですが」

ホームズさんに急に話を戻されて、驚いて顔を上げた。

「は、はい？」

「実は、葵さんと『顔見世』を観に行けたらと思っていたんです」

「それは、つまり、歌舞伎観劇に？」

「ええ、以前、梶原さんに歌舞伎のチケットをいただいて、一緒に行こうと話していたのに、僕も忙しくて行けなかったじゃないですか。それもとても気になっていまして」

その言葉に夏の出来事を思い起こして、「ああ」と頷いた。

あれは、七月上旬。

鞍馬に山荘を持つ作家・梶原先生宅の家庭内トラブルを解決した時に、そのお礼として、ホームズさんは歌舞伎のチケットをもらっていた。

その時に、『今度一緒に行こう』と話していたけれど、いただいたチケットが八月公演のものだったことから、それは叶わなかった。

八月中、ホームズさんは、オーナーと海外に行ってしまっていたからだ。

結局そのチケットは、店長と上田さんにまわったとか。

私自身、忘れていたようなことなのに、気にしてもらっていたなんて、なんだか申し訳ない。

「——いえ、そんな、気にされなくても大丈夫ですよ。歌舞伎のチケットなんて、高価なものですし。良さも分からない女子高生の私が行っても、豚に真珠でしょうし」

「葵さん、僕は伝統芸能も芸術だと思っています。とても良い経験になると思いますし、勉強だと思って、ぜひ」

「は、はぁ……」

「何より、お礼をさせてください」

そもそも、『お礼』なんてされることをした覚えはまるでない上、どちらかというと私の方こそ、ホームズさんにお世話になりっぱなしで、お礼をしなければならない気がするのだけど……。

ためらいがちに俯いていると、

「それでは、『蔵』からの研修を兼ねた、冬のボーナスだと思っていただけると」

と、続けたホームズさんに、また驚いた。

どうして、そこまで……と少し戸惑う。

もしかしたら、私の師でもあるホームズさんは、お礼云々というよりも、私に『伝統芸能を勉強させてあげたい』と思ってくれているのかもしれない。

——うん、ホームズさんなら、ありえそうだ。

以前、梶原さんに歌舞伎のチケットをもらって、『一緒に行こう』と約束したのに、果たせなかったことも踏まえて、『良い経験をさせてあげよう』と考えてくれているのかもしれない。だとしたら、それはとてもありがたいことだと思う。

歌舞伎観劇なんて、本当に滅多にできない経験だろうし……。

だけど実は今、どうにもバイト以外で、家を出にくかったりする。

「……その歌舞伎観劇って、夜ですよね？」

「昼の部もありますよ」

「あ、そうですか。昼ならまだ……」

「夜は気が進みませんか？」

「実は、この前の定期試験の結果が悪かったんです。それで今度のテストでも悪かったら、バイトを辞めて塾に通いなさいと親に言われていて、今、がんばって勉強をしているところでして、昼はさておき、夜は出づらい雰囲気なんですよね」

言い難さにモジモジしながら告げる。

ホームズさんは驚いたように瞬き、すぐに目を伏せた。

「――そうでしたか、それは申し訳ございませんでした」

「へっ?」どうして、『申し訳ない』になるんだろう?。

「うちのバイトのせいで、成績が落ちてしまったなんて、これは由々しき問題ですね」

「いえ、バイトのせいで成績が落ちたわけではなくて……」

私が、ただ単に勉強をサボッただけの話で、バイトは関係ない。

「ですが、成績が落ちたら、バイトを辞めろと言われてしまったんですよね?」

「は、はい」

「それは、こちらとしても困ります。それに、試験前に店番を頼んでしまったこともありますし、やはり成績が落ちたのは、うちのせいでもあると思います。となれば、ちゃんと責任を取りたいと思います」

「せ、責任?」

「葵さん、そこに座ってください。今日から空いた時間にここで勉強をしましょう。僕が見ますので」

「そして、顔見世には行きましょう。必ず、あなたの成績を上げてみせますから」

強い眼差しで胸に手を当てるホームズさんに、頬が熱くなる。

「は、はい。どうか、よろしくお願いいたします」

頭を下げたその時、再びカランとドアベルが鳴った。

お客様かな？　と振り返ると、今度は数人の女子大生の姿があり、

「あー、ホームズくん、ほんまにおる」

「遊びにきたよ」

明るい笑顔で、店に足を踏み入れた。

「なんや、みんなわざわざ来てくれたん？」

ホームズさんは嬉しそうに彼女たちの元に歩み寄る。

「そうやで、ホームズくんの顔を拝（おが）みに」

「なんて、ほんまは、今から三条の映画館に行くんやけど」

「ええなぁ。僕もたまに映画行きたいわ」

「ホームズくんも一緒に行く？」

「いきなりは無理やで、今度、前もって誘ってくれへん？」

「誘う誘う。デートしよ。そういえば、ゼミの飲み会は行ける？」

「行かな、教授に嫌味言われるし」

「ほんまやな」

ワイワイと楽しげに語らうホームズさんたちの姿を少し遠くから眺めながら、私は小さく息をついた。

2

「――ホームズさんに勉強教えてもらっとるなんてええなぁ。なんたって京大院生やろ」

学校の休憩時間。いつものように通路窓際でおしゃべりをしながら、友人は壁にもたれて羨ましそうに洩らした。

彼女の名前は、宮下香織。

『斎王代脅迫状事件』を通じて仲良くなった子で、老舗である宮下呉服店の娘さんだ。

理知的な顔立ちから窺えるように、普段は冷静沈着でしっかり者な彼女だけど、実は、ミーハーという可愛らしい面も持っている。

「ホームズさんやったら優しいやろうし、何より教え方も上手そうやし」

そう続けた香織に、私は「うん」と頷いた。

「優しいし、教え方はやっぱり上手なんだけど……」

最初は、香織の言う通り、それは優しく丁寧に教えてくれていた。

だけど、そのうちに、

『――あかん。試験前の今は、苦手克服よりもいかに点数を落とさず、かつ点数を確実に稼げるかを計算に入れな。試験も商いも一緒やで、この市（紙）場でいかに確実に儲けを出すかや！』

……と、いつの間にか、商いの心得なんぞ教えていただいたりしている。

『失礼いたしました。試験は、いかにあざとく点を稼ぐかですよ。これを念頭に置いといてください』

なんて、真顔で言って鋭い眼差しを見せるホームズさんの姿に、やはり彼は目利き商人、あんなにマイペースな商売をしていても、きっと、きっちり儲けは出しているに違いない、と肌で感じさせられたりもして。

そんな点取りに狡猾なホームズさんに勉強を見てもらったおかげで、試験も何とかなりそうで、顔見世には心置きなく行けそうだ。

ためらいはあったけれど、ホームズさんがあそこまでお勧めする顔見世、やはりとても楽しみだ。

それにしても、京都の人たちが顔見世を冬の風物詩としていて、一年の励みにしているなんて知らなかった。さすが、京都人は昔も今も雅だなぁ……。

「――葵、勘違いしたらあかん」

「へっ？」

「今や顔見世を一年の楽しみにして、毎年行かはる人なんて、そんなの一部やで」

私の話を聞いていた香織が、呆れたように横目で見た。

「そうなの？　みんな行くわけではないの？」

「そんな、よう行かへんよ。うちの親やホームズさん家とか古くから商売やっとるとこは『自分たちが行かなくなったら、誰が行くんや』って、気持ちもあるみたいやから別として、いくら京都とはいえ、普通の家では顔見世なんて、なかなか行かへんって」

「だ、だよね、そうだよね」

良かった、変に勘違いする前に、認識を正せることができて。

「香織は行ったことある？」

「うん、去年『後学のため』って連れて行ってもらった。なんや、ああしたもんは、一度行ったら、病み付きになるのも、分かった気ぃしたわ」

腕を組みながら言う香織に、そういうものなんだ、と相槌をうった。

「今年の顔見世は盛り上がりそうやな。なんといっても『市片喜助』がメインやろ？」

その言葉に「ああ！」と手を叩いた。

――市片喜助。

歌舞伎の名門・市片家の人間で、アッサリした和顔の、二枚目歌舞伎俳優だ。ドラマでも活躍していて、女性とのスキャンダルの話も聞こえてくることが多い、旬な芸能人の一人といえる（ちなみに、今はグラビアアイドルと噂になっている）。

「市片喜助さんを観られるとなったら、ますます楽しみになってきた」

うふふ、と笑うと、香織は「ええなぁ」と洩らして、天井を仰いだ。

「それにしても、さすがホームズさんやな。デートが顔見世なんて、やっぱりちゃうわ」

「デートってわけじゃないよ」

「そやけど、気のない子を誘ったりせえへんやろ。顔見世のチケットなんて大変やで。もう二人はええ雰囲気ちゃうの？」

改めて問われて、私は肩をすくめた。

「実はちょっと、期待……というか、『もしかして？』って思ったりもしていたんだけど、なんだかやっぱり違ったみたい」

「違った？」

「……うん、今回の顔見世にいたっては、夏の約束を果たせなかったことが気がかりだったのと、私に良い勉強をさせてあげたいという師匠心みたいなものっぽいし……。何より、私、どうも勘違いしてたみたいで」

話しながら自分が脱力していくのが分かった。

「勘違いて？」

気になるのか、香織は真顔で少し身を乗り出した。

「……ホームズさんがいつもとても紳士的で優しいから、自分が『特別』なんじゃないかって、どこか勘違いしてたんだけど、そうじゃなくてホームズさんは、女性みんなにそうなんだって分かったというか」

「そう思うようなことがあったん？」

「この前、店に大学の女友達が遊びにきてたんだけど、『なんや、みんなわざわざきてくれたん？』って、女の子たちとくだけた口調で、楽しそうに話しているホームズさんを見ていて思ったの。ホームズさんはみんなに紳士的で優しくて、時々ちょっといけずで……。それで、『私は別に特別なんじゃなくて、あくまでバイトなんだなぁ』って、分かっちゃったというか……」

みんなと一緒。ううん、他の女の子よりもさらに離れたところにいるんだろう。

私には、ずっと敬語だし。

「……なんや、失恋気分？」

少し心配そうに顔を覗く香織に、「いやいや」と首を軽く振った。

「失恋なんて、そこまででは。なんていうか、勘違いを暴走させる前に現実を知ることができて良かったかなって。思えばホームズさんって、変な部分があるけど素敵な人だし、私みたいな平凡な人間に釣り合う人じゃないしね。まぁ、一線を引きつつも、これまで通り、少しミーハーな気分でホームズさんを眺めていられたらいいのかな、なんて思ってる」

話しながら、つい早口になってしまうことが自分でも分かった。

でも、本当に気持ちが盛り上がる前に、現実を知ることができて良かったと思う。

――恋愛でつらい思いは、もうこりごりだ。

何より、骨董品店『蔵』で過ごす時間は、私の癒しだし、それを失いたくはない。

3

――それから、二週間。

十一月も下旬となり、古都・京都の町もクリスマスの装飾を施し、クリスマスソングが流れ始めていた。

我らが『蔵』においても、店内にそれは立派なツリーを飾り、ＢＧＭもジャズバージョンのクリスマスソングに変わっている。

「なんだか、京都でクリスマスって、ちょっぴり変な感じですよね」

キラキラと輝くツリーのオーナメントを眺めながらくすりと笑う私に、ホームズさんは、

「そうですか？」と、こちらを見た。

「そうですよ。だって、基本的に神社仏閣の町ですもん」

「京都には教会も多いんですよ」

その言葉に、「あっ」と目を開いた。

「たしかに、教会も多いですね」

思えば京都って神社に寺に教会にと、すし詰め状態だ。神に仏に異国の宗教にと、神様同士、ケンカしないんだろうか、なんて妙なことを思ってしまう。

「……基本的に日本は自然信仰というか、八百万の神様の国ですから。自国の神様から、異国の神様までいて当然の、ウェルカム状態なんですよ」

私の考えを察知したのか、サラリと答えてくれるホームズさんに「なるほど」と相槌をうった。

「そう思えば、元々仏教も異国のものですもんね」

「ええ、日本の神様たちは懐が深いんですよ」

「本当ですね」

くすくす笑っていると、窓の外を、若い男性が勢いよく店に向かって歩いてくるシルエットが目の端に映った。

あれ、今のは……?

誰かに似てる、と顔を向けたその時、『蔵』の扉が開き、

「オッス、久しぶり！　きてやったぜ、ホームズ！」

　秋人さんが笑顔で飛び込んできた。

「……きてやったって。誰も呼んでいませんし、待ってもいませんがね」

　ホームズさんはうんざりした様子で、肩をすくめた。

「よく言うよ、俺に会いたかっただろ、相棒！」

　秋人さんはそのまま、どっかりと椅子に腰を下ろし、満面の笑みを見せた。

「……僕は神様ではないので心が狭いのか、軽くカチンと来ますね」

　小さく息をつくホームズさんに、秋人さんは、

「え、神様？　何言ってんの？」

　と、小首を傾げ、私はプッと笑ってしまう。

「にしても、久々だってのに、ホームズは相変わらず冷てぇな」

「……たしかに、お久しぶりですね。最近は、また東京でのお仕事も増えたようですし、お忙しそうですね」

　その言葉に、私も、うんうん、と相槌をうった。

「最近、テレビで秋人さんをよく観るようになりましたもん」

「あの、『ドッキリ』も良かったですしね」

　ホームズさんはくすりと笑った。

そう、秋人さんの伯母(おば)さんの家で隠し撮りしたドッキリ映像が、ついに放送された。

雅な雰囲気を漂わせ、品行方正に京都の町を紹介していた梶原秋人の『本当の姿』は、お茶の間に大きな衝撃とインパクトを与えた。

一方で、『番組に合わせた演出だ』と豪語した秋人さんの言葉に、『すごい役者なんじゃないか』という話題や評価も高まり、テレビの出演回数が増えたというわけだ。

これもすべて彼のマネージャーの計算だとしたら、すごいことだ。

「いや、実は今も仕事中なんだよ」

「仕事中？」

ポカンとする私たちに、秋人さんはコクリと頷いた。

「ああ、京都の町中を紹介するバラエティ旅番組のロケ中なんだけど、今、ちょっと機材トラブルがあって休憩になったんだ。共演者もここにくると思うんだけど」

と、窓の外に視線を送ったその時、カランと扉が開き、涼やかな男前が姿を現した。

見たことのある有名人の姿に、動きが止まってしまう。

「――えっ？」……市片喜助、だよね？　歌舞伎役者で、今話題沸騰中の。

戸惑う間もなく、その後に現れたのは元宝塚の男役スターで、女優の浅宮麗(あさみやれい)。

バックに薔薇の花を背負っているように華やかで美しい彼女は、ペコリと会釈して店に足を踏み入れた。

「おー、喜助くんに麗さん。ここが俺の親友の店なんだ」

秋人さんは、椅子に座ったまま満面の笑みで手を振った。

突然、大物芸能人がこの『蔵』にやってくるという、思いもしない出来事にフリーズしてしまう。

「親友、ですか」

ホームズさんは、別の意味でフリーズしていた。

「――へぇ、ここ骨董品店なんだ？」

「アンティークカフェみたいで素敵ね」

喜助さんと麗さんが、物珍しそうに店内を眺めている。

は、華やかだ！　『蔵』がこれ以上なく華やかだ。今すぐ香織を呼んであげたい！

「いらっしゃいませ」

動揺する私とは裏腹に、ホームズさんはいつものように微笑んで、頭を下げた。

「ああ、君が家頭誠司さんのお孫さんですか。はじめまして、市片喜助と申します」

喜助さんは堂々とした様子で自己紹介をしたあと、スッと深く頭を下げる。

アッサリした顔立ちながらも目力が強く、役者のオーラのようなものを感じさせた。

「はじめまして、家頭清貴と申します。――祖父をご存知でしたか」

そんな迫力に気圧されもせずに、上品な笑みを返すホームズさん。

「ええ、それは勿論。南座の楽屋や花街でもお会いしたことが何度か」

喜助さんは、微笑んでそう答えた。

なるほど、オーナーの横のつながりはこんなところにまで（さすがだ）。

「私もね、家頭先生とは、関西の番組で一度共演させてもらったことがあるのよ。それにしても、先生のお孫さんがこんなにイケメンだとは驚いちゃった。君、芸能界とか興味はないの？　君がその気になったら人気が出そう。なんなら口をきいてあげるわよ」

麗さんが少し身を乗り出して尋ねると、

「いやいや、麗さん！　こいつはそういうのキョーミないんすよ」

すかさず秋人さんが、ホームズさんの肩に手を回して、グイッと引き寄せた。

「ええ、もったいないお言葉、大変光栄に思いますが、僕には分不相応で不似合いな世界だと思ってます。……秋人さん、腕が重いですよ」

ソツなく答えつつ、埃を取るように肩に回された秋人さんの腕を払う。

「やっぱ、相変わらず冷てぇな、ホームズは」

面白くなさそうに口を尖らせた秋人さんに、

「――ホームズ？」

喜助さんと麗さんが、不思議そうに首を傾けた。

「あ、こいつ、この若さですげぇ目利き鑑定士で、かつ頭脳明晰なことから、今まで数々の難事件を解決してきたんですよ。それで『ホームズ』なんて呼ばれてるんです」

「秋人さん、勝手に話を盛らないでください。僕は一度だって難事件なんて解決した覚えはないですよ」

ホームズさんは呆れたように息をつき、

「ただの、ニックネームなんですよ。苗字が『家頭』ということから、『ホームズ』と呼ばれていまして」胸に手を当ててニッコリと笑った。

出た、お決まりの台詞だ。

「難事件を解決した覚えはないって、いろいろ解決してるだろーよ」

少しムキになる秋人さんに、ホームズさんは苦笑して肩をすくめた。

「いえ、『難事件』とは言えないでしょう」

たしかに、『難事件』というよりも、『はんなり事件』かもしれない。

「それより、コーヒーを淹れますので、どうぞお掛けください。あ、コーヒーは大丈夫でしたか？　紅茶や日本茶もご用意できますが」

「ありがとう、コーヒーで大丈夫よ」

「僕も」

麗さんと喜助さんはそう言ってソファーに腰を掛けて、興味深そうに店内を眺め、ホームズさんはそのまま裏へと入って行った。

「――そうですか、あなたも顔見世を観に来てくれるんですね、ありがとうございます。今やってる旅ロケは、顔見世の宣伝も兼ねているんですよ」

喜助さんはにこやかに話しながら、ホームズさんが淹れたコーヒーを美味しそうに口に運んだ。

「九月に襲名されての顔見世。気合いも入っているのでしょうね。楽しみにしてます」

コーヒーを出し終えて対面に腰を下ろしながら、柔らかく微笑むホームズさん。

まるで、茶道部か華道部の男子が二人、向かい合って語らっているような雅さを感じる。

「ええ、『喜助』の名は憧れでしたので、その名に恥じない舞台にしたいと思ってます」

そうだ、市片喜助さんは、秋に襲名したばかり。

テレビでしきりにやっていたから、すっかり『市片喜助』が定着しているけど、前は違う名前だったんだ。

「喜助くんは、襲名してから顔付きが変わったわよね」と、くすくすと笑う麗さん。

「そうですか？」

「そうよう、すごく引き締まった感じ」

楽しげに語らう歌舞伎俳優と、元宝ジェンヌが、とても眩しい。

華やかすぎるオーラに気圧されて、私はただ、ドキドキしながら隅でカフェオレをそっと口に運んでいた。

すると、そんな華やかな二人にも実は負けていない秋人さんが、「そういや」と首を伸ばして、二つ隣の喜助さんを見た。

「喜助さんは、次男だって話ですけど、襲名には長男とか次男は関係ないんすか？　お兄さんも歌舞伎役者なんすよね？」

ふと疑問に思った、という様子で尋ねる秋人さんに、喜助さんは苦笑し、

「まぁ、歌舞伎の世界は、芸がすべてなので……」少し言い難そうに告げる。

やはり、厳しい芸事の世界。長男次男関係なく、秀でた者が受け継ぐものなんだ。

喜助さんのお兄さんのことはよく知らないけど、弟に名前を取られて、とても悔しかっただろうな。

私が勝手に邪推をしていると、喜助さんはコーヒーを飲みつつ、物珍しそうに店内を見渡した。

「入口から見ると、小さなお店という印象だったのに、随分と奥まっているんですね」

「本当ね、それにいろんなものが置いてある」

同じく麗さんも、興味深そうに店内を見回す。

「もし良かったら、どうぞ奥まで見てください。いろんなものがありますよ」

店内奥に向かって手をかざしたホームズさんに、二人は「それじゃあ」と立ち上がり、楽しげに店の奥へと進んでいった。

「まー、はじめて来たら物珍しいよな。東洋古美術から西洋アンティークまであるし」

秋人さんは頷きながら、目だけで店内を見まわした。

「秋人さん、実はこの店には、お香やアロマオイルにバスソルトもあるんですよ」

華やかな二人が視界から消えたことで、私も緊張から解放されて、ようやく口を開くことができた。

「マジで？　そんな物まで置いてるなんて知らなかったな」

「バスソルトとかは、オーナーとホームズさんがヨーロッパに行った時に買い付けてきたんです。私もお気に入りですよ」

バスソルトのセットを見せると、秋人さんは「へえ」と興味深そうに手に取った。

「そんじゃ、それ、ひとつもらおうかな。ちょっと疲れてるんだよ」

「これは、ありがとうございます。生活も激変したでしょうね。お体の方は大丈夫ですか？」

商品を購入してくれたことが嬉しいのか、ホームズさんはバスソルトを紙袋に入れながら、珍しく優しい口調で尋ねた。

「なんつーか、体は大丈夫なんだけど、ちょっと複雑な気持ちになることがあって」

「秋人さんでも、複雑な気持ちになったりするんですね」

今度はさらりと失礼なことを言うホームズさんに、秋人さんは顔を引きつらせる。

「って、おい、相変わらずだな。……でも、そんなホームズがいいなぁって、改めて思うよ。今まで俺のことを『いつまでも売れない俳優』ってバカにしてきた奴らが、掌を返したように態度を変えてきてよ。最初は『ざまぁ』と思っていたんだけど、そういうのが続くと、『なんだかなぁ』って思ってしまうというのか」

秋人さんは、はぁ、と大きく息をついた。

「……喜助くんなんて、俺が作家『梶原直孝』の息子だって知った途端、ちゃんと会話してくれるようになったんだぜ。まー、いいけどよ」

小声でそう続けた秋人さんに、ホームズさんは微笑みながら頷いた。

「それでいいんですよ、秋人さん」

「えっ？」

「『まー、いいけどよ』と流すのが一番です。来る者にも去る者にも執着を持つ必要はありません。芸能界で与えられた仕事を全力でこなし、そして礼を尽くす。それが今のあなたに一番大事なことです」

優しく諭すように言うホームズさんに、秋人さんは目を潤ませた。

「ホームズ……。やっぱ、いいな。ホームズは俺の心の友だ」

「不愉快ですね」

「って、ひでー」

私はそんな二人の姿に頬を緩ませながら、ふと、喜助さんと麗さんが戻ってこないことに気が付いて、店の奥を覗いた。

そういえば、二人は店の奥に行ったきり。

もしかして、茶碗でも割ってしまって、戻るに戻れない状態だったりして。

そう思い、そっと席を立って、店の奥に進んでいくと、

「――んッ」

息が洩れるような、甘い響きが耳に届いて、足を止めた。

そっと首を伸ばすと、店の一番奥で絡むように口付けを交わし合っている、喜助さんと麗さんの姿。

「ッ！」

驚いて、思わず自分の口を押さえてしまった。

「……き、喜助くん。も、駄目よ。こんなところで」

唇が離れるなり、息を荒くしながら言う麗さん。

「――嘘だ。物欲しそうな顔してる」と、体を引き寄せて、喜助さんは再び唇を合わせる。

……う、嘘！

市片喜助と浅宮麗って、付き合ってるの？

どうしよう、どうしよう、ものすごいものを見てしまった！

って、待って。市片喜助って、確かグラビアアイドルと付き合ってるって噂もあるよね？

あれはデマで、麗さんが本命なんだ。

う、うわー、なんにしろ、すごいものを見てしまった。

怖い怖い怖い。今すぐフェードアウトしなきゃ。

まるで、国家機密（こっかきみつ）を知ってしまったような気持ちで、そろそろと後退りをしたその時、棚に肩が当たってしまい、アロマオイルの小瓶がゴロゴロと床に転がってしまった。

「た、大変」慌てて拾っていると、

「いやぁ、本当にいろんなものがありますね。古美術からアンティークドールまで」

「本当ね。見入っちゃったわ」

何食わぬ顔で、奥から出てきた二人。

今まで絡み合っていたことなんて、微塵も感じさせない様子。

さすが役者！　と唸ってしまう。

挙動不審になっていることに気付かれぬよう、しゃがみこんだまま転がったアロマオイルの小瓶をゆっくり拾っていると、

「喜助くん、麗さん、今スタッフから連絡がきて、機材も直ったしそろそろって言ってるっすよー」

店に響く、秋人さんの能天気な声に救われた。

「あら、意外と早かったわね。ホームズくん、コーヒーありがとう。今度ゆっくりお邪魔

しますね」

美しい笑みで手を振る麗さんに、「そんじゃー、またな」と秋人さんも紙袋を掲げて大きく手を振った。

「コーヒー美味しかったです。お邪魔しました」

最後に喜助さんが、丁寧に頭を下げる。

さすが、歌舞伎役者さんは、キッチリしてる。

ホームズさんは「いえいえ」と首を振り、喜助さんの前まで歩み寄って、ポケットティッシュを差し出した。

「喜助さん、外に出る前に、口を……」

自らの口の端を指しながら微笑むホームズさんに、

「――あ」

喜助さんはバツが悪そうにポケットティッシュを受け取ると、グイッと拭って、そそくさと店を出て行った。

芸能人三人がいなくなって、店内は嘘のように静かになる。

「き、喜助さんの口に……その、ついていたんですか?」

皆の姿が見えなくなるなり、私は戸惑いながらホームズさんを見た。

ちゃんと顔を見ていないから、気付かなかった。

「……ほんの少しですがね。黙っていても、他の方には気付かれはしないでしょうけど、うちの店でイチャつかれるのは、腹立たしいのでお灸をすえさせていただきました」

ホームズさんも気付いていたんだ。

そして、『腹立たしいからお灸を』だなんて、安定の腹黒さ！

でも、そうだよね。神聖なお店でイチャつくなんて。この店を何より大事に思っているホームズさんにとって、腹立たしいことに違いない。

「——僕かて、我慢してんのに」

ぽつりと零したホームズさんの言葉がよく聞き取れず、「えっ？」と顔を上げた。

「いいえ、華やかな来客でしたね」

「は、はい。芸能人はやっぱり華やかでキラキラしてましたね。あんなに間近で芸能人を見たのは初めてなので、ドギマギしちゃいました」

ホームズさんはパチリと目を開いた。

「初めてって、いつも秋人さんを間近で見てるじゃないですか」

「……あ、そうでした」

肩をすくめる私に、ホームズさんはプッと笑った。

「秋人さんはあれでなかなか、華やかですし、キラキラされていると思いますよ」

「そうかもなんですが、なんだか馴染みすぎてて」

「まぁ、そんなところも秋人さんの良いところなのかもしれませんね」

「ホームズさんが、秋人さんのことを誉めるなんて珍しいですね？」

「本当ですね。なかなかの活躍をされているのに、変わっていない様子でしたので、僕の中での評価が少し上がりました」

ホームズさんは、ふふっと口角を上げた。

なるほど、確かに最近の秋人さんは、一気に露出が増えて、天狗になりかねないような活躍ぶりだけど、実際は全然変わってなかった。それって、もしかしたら、すごいことなのかもしれない。

これからも、あのままの秋人さんでいて欲しいな。

「……それにしても、喜助さんと麗さんがお付き合いされてたなんて驚きました。芸能界を揺るがす実力派ビッグカップルですよね。すごくお似合いだと思いますし、世間に公表しちゃえばいいのに」

熱い息をつく私に、ホームズさんは「……そうですね」と目を合わさずに頷いた。

「…………？」

なんだろう？　まるで何か思うことがあるような雰囲気……、と私は眉を寄せた。

もしかしたら鋭いホームズさんは、何かを感じていたのかもしれない。

——なぜならそれから、数日後。

『市片喜助、元モデルで資産家の令嬢（一般女性）と婚約！』

というニュースに、私は驚かされることとなったのだから……。

4

「――も、もう、私、男の人が信じられなくなりそうです！」

『蔵』にある新聞の芸能欄(げいのうらん)を眺めながら、あまりの衝撃に、私の手がぶるぶると震えた。

衝撃なのは、市片喜助の婚約報道があった夜。

彼と噂になっていたグラビアアイドルが、

『婚約ってマジ言ってんの？　あいつ、マジで殺したい』

と、ＳＮＳで呟いたことから、

『市片喜助、女性関係を整理できないまま婚約か！』

そんな記事が、翌日の芸能欄を賑わせていた。

ちなみに私は、彼が、元宝塚の男役スター・浅宮麗さんと濃厚なキスをしているところも見ているわけで。

つまり、喜助（呼び捨て）は、婚約した元モデルで資産家の娘、グラビアアイドル、浅宮麗さんの三つ股もかけていたということだ。

実際に会って、見てしまったがゆえにショックが大きい。

男性不信に陥り（おちい）そうだ。

「――まあ、葵さん、そうやさぐれたことを仰らずに」

カウンターで帳簿のチェックをしながらくすりと笑うホームズさんに、顔をしかめながら振り返った。

「ホームズさんはどう思います？　最低ですよね、だって三つ股ですよ！」

「葵さんがそう仰るのは無理もないんですが、仕方ないんですよ」

「し、仕方ない？」何か特別な理由があるんだろうか？

そう、喜助が三つ股をしなければならないような、深い理由が裏にあるとか。

あったとしても、それはどんな理由だというのか。

「彼は、歌舞伎役者ですから」と、続けたホームズさんに、私は動きを止めた。

「……えっと、それはどういうことですか？」

「言葉通りです。彼は歌舞伎役者です。女遊びも芸のうちなんですよ」

「なんですか、それ！」

「歌舞伎役者として舞台に立ち、輝くような人間は、どうしても色を求める本能というか、宿命のようなものがあるんですよ」

「い、いや、わけが分かりませんって」

「葵さんも一度、歌舞伎の舞台を観たならば、理屈じゃなく感じるかもしれません。恋も修羅場もそこから発生する刃傷沙汰も、すべては彼らの芸の血肉となるんです。そうして、素晴らしい役者になっていくんですよ」

胸に手を当てて、熱っぽくそんなことを言うホームズさんに、唖然としてしまう。

「そ、そんなの理由になりませんし、信じられないですよ。歌舞伎役者だろうとなんだろうと、三つ股なんて不誠実すぎます！」

ついムキになって言う私に、ホームズさんはこくりと頷いた。

「ええ、葵さんの仰ることはもっともです」

「へっ？」

「ですから、葵さんのような方は、そういう種類の男性に決して近付いてはいけません。芸人の妻になろうという方は、『女遊びは芸の糧、自分が彼の心の港となる』くらいの開き直りを持てないと、続かないでしょうね」

「つ、つまり心の広い方じゃないとダメってことですか？」

「心が広い狭いではなく、人それぞれ我慢できる種類がありますから。貧乏は許せても、浮気を絶対許せない方もいれば、その逆も然りですよね。属性の問題です」

「は、はぁ……」それほどまでに、芸の世界に生きる人たちは、色にも走るわけだ。

「で、でも、ほら……歌舞伎界の大御所と言われてる市片藤三郎！　あの人は奥さん一筋で有名じゃないですか！」

歌舞伎界の重鎮(じゅうちん)と言われている市片藤三郎——喜助の伯父(おじ)らしいのだけど——彼は元女優と結婚して、『僕は奥さん一筋で、浮気なんてしたことがない』と、テレビでよく公言しているほど、奥さん一筋だ。嘘かもしれないけど、実際に浮いた話はない。

なんでも若い頃、その女優さんに一目惚れをして、彼女に釣り合う男になりたいと芸を磨き、口説きに口説いて、ようやく結婚までこぎつけたという話だ。

「ああ、市片藤三郎さんは、奥様一筋で有名ですね」

「で、でしょう？」

「ですが、彼も奥様に出会うまでは、かなり浮名(うきな)を流していたんですよ」

「で、でも、結婚後は浮名を流してないですよね？」

「まぁ、そうですね。彼は、それだけ惚れ抜いた女性と結婚することができたのでしょう。ですから喜助さんも、今の婚約者と結婚することで変わる可能性もありますよ」

「そ、そうですか……それならいいんですが」……って、いいんだろうか？

「それはさておき、顔見世が楽しみですね」

「あ、はい。本当にいろんな意味で」

「いろんな意味で、ですか」

愉しげに頬を緩ませるホームズさんに、慌ててしまう。

「す、すみません、純粋に楽しみですす」

「いえいえ、僕も『いろんな意味』で楽しみですから」

二人で顔を見合わせて、ふふっ、と笑い合った。

私たちは顔見世公演初日『昼の部』を観に行き、その後は先斗町で食事という予定だ。

『蔵からのボーナスですから、食事くらいは』なんて言ってくれた。

生まれて初めての歌舞伎観劇に、その後の先斗町。

気が引けるけれど、やはり楽しみで、ワクワクしながら新聞を丁寧に畳んだ。

5

そうして、顔見世を前日に控えた、十一月二十九日。

私はウキウキしながら、いつものように『蔵』で掃除に勤しんで……いたわけではなく。

「葵さん、ここの計算が間違っていますよ」

「あ、本当でした」

ううっ、と唸りながら、ノートに書いた計算式を消しゴムで消す。

『蔵』のカウンターで、試験勉強中だった。

「葵さんはどうやら、うっかりミスが多いのと、計算に時間がかかってしまうようですね。数学にいたっては、よく時間切れになるのではないですか？」

解答を眺めながら冷静に告げるホームズさんに、「仰る通りです」と肩をすくめた。

「スピードアップはそう簡単にできるものではないので、試験では、点が取れるところに狙いを定めてやっていくのが良いでしょうね」

スクエアタイプのメガネを正しながら独り言のようにそう言う。

ちなみにこのメガネは、伊達(だて)らしい。

『眼鏡をかけていた方が、家庭教師気分が高まるじゃないですか』と真顔で言うホームズさんには頬が引きつった。どうやら、意外と形から入る人らしい。

「は、はい」

「今度は効率(こうりつ)よく点を取れるようにがんばりましょう」

「……そもそも私、勉強の仕方というか要領が悪い気がして。特に数学なんですけど」

ハァ、と息をつくと、ホームズさんはパラリと問題集を開いて見せた。

「そうですね……たとえば数学でしたら問題集を開いて、パッと見て、その中で一番難しいものをまず解いてみるんです。それが解けたなら、ここの問題はクリアだと考えて次に進めますし、解けなかったら、自分はここが苦手であることを認識できますよね？」

「な、なるほど、そうやって時間短縮をはかるわけなんですね！」

「ええ、そうなんです。葵さんの解答を見ている限り、ちょっとの工夫で五点はＵＰできそうです。それに、少し力を付けることでさらに十点で、一教科につき十五点、もう少しがんばって二十点ＵＰできたら良いですね」

「に、二十点ＵＰって、そんな簡単に」

「大丈夫ですよ。試験範囲をもとに僕が問題を作成しましたので、とにかくそれをやってください」

「――は、はい」

そんな話をしていると、カランとドアベルが鳴った。

……あ、お客さんだ。

だけど、今の私は店員じゃないから『いらっしゃいませ』って言わなくていいんだよね？

なんだか骨董品店のカウンターの隅に座って、問題集をやっているって、あやしすぎる女子高生にちがいない。

居たたまれなさに身を小さくさせていると、

「これは、喜助さん。いらっしゃいませ」

ホームズさんの言葉に、私は仰天して振り返った。

そこには紛れもない、市片喜助の姿。薄手のコートを羽織り、帽子にメガネにマフラーをしているため、パッと見は分からないかもしれない。

「——こんにちは」

笑みを浮かべて会釈する喜助さんに、私もひっそりと会釈を返した。

「良かったら、どうぞお掛けください」とホームズさんは立ち上がって椅子を引く。

「ありがとうございます」喜助さんは、ひとつ椅子を挟んだ、私の二つ隣に腰を下ろした。

帽子を脱いで、チラリと私を見て、

「ああ、この前のバイトのお嬢さんでしたか」今気が付いたように、目を開いた。

「は、はい、いらっしゃいませ」

「今日はお客さんなんですか？」

「……お客さんというか、ホームズさんに勉強を教えてもらっていまして」

なんとなく決まり悪い気持ちで、小声で答えた。

「へぇ、バイトさんにお勉強まで教えているなんて、ホームズくんは面倒見がいいんですね。あっ、すみません、僕まで『ホームズ』と呼んでしてしまって」

「いえいえ、お好きなように呼んでください。今、コーヒーを淹れますね」

「ありがとうございます」

ホームズさんは裏に入っていつものようにコーヒーをドリップする。

店内に良い香りが広がる頃、トレイを手に裏から出てきた。

「いよいよ明日、初日ですね。楽しみにしています」

「明日の初日に来てくださるんですか？」

「ええ、葵さんと昼の部に。祖父は夜の部の口上（こうじょう）を観に行くと言っていました」

と、カップを私と喜助さんの前に置いた。

「ありがとうございます」

喜助さんはペコリと頭を下げて、どうしてか急いだようにコーヒーを口に運ぶ。

「……美味い」心からという雰囲気でそう洩らした喜助さんに、

「そう言っていただけると嬉しいですね」

ホームズさんも、本当に嬉しそうに目を細めた。

「丁度、稽古も大詰めで……機材チェックに一時間の休憩時間をいただいたんです。その時、急にあなたの淹れた美味しいコーヒーを飲みたくなりまして。……いや、骨董品店にコーヒーを飲みにくるなんて駄目ですよね。図々しいな僕も」

喜助さんは頭に手を乗せて、苦笑した。

「いえいえ、僕としては、とても嬉しい言葉ですよ」

ホームズさんはコーヒーを淹れること、そしてそのコーヒーを美味しいと言ってもらえることを本当に嬉しく思っているんだ。

なんだか、私はいつもカフェオレで申し訳ないな。

肩をすくめながら、私もカフェオレを口に運んでいると、

「ああ、そうだ。喜助さん、ご婚約おめでとうございます」と、言ったホームズさんに、ブハッと吹きそうになったのを慌てて堪えて、ゲホッと静かにむせた。

するとと喜助さんは弱ったように、額をかいた。

「あー、いや、世間を騒がせてしまったり、この前のことを知られているのでバツが悪いですね。ですが、ありがとうございます」

「喜助さんは、役者さんですからね。それも芸の糧でしょう」

優しく言うホームズさんに、喜助さんは少し救われたように顔を緩ませた。

ホームズさんが許しても、私を含む世間の女性は許してませんよ！

なんて、隣で密かに思う。

「……それで、喜助さん。ここに来たのはコーヒーを飲みたかった以外に、何か僕にお話があったのではないですか？」

そっと尋ねるホームズさんに、私は驚いて顔を上げた。

喜助さんも驚いたような目を見せている。

「ど、どうしてですか？」

「来た時から、随分と落ち着かれない様子でしたので」

言われてみれば、喜助さんはどこかソワソワしていた。

何か言いたいことがあって、そのタイミングを計っていたのだろうか？

「もしかして、婚約がキッカケとなって、何かトラブルが？」

さらに突っ込んで尋ねるホームズさんに、息を呑んでしまう。

（ホームズさん、サラリとグイグイいきますね）

「あ、いえ……女性関係ではないんです」

喜助さんは懐から二つ折りにしたＡ４の紙を取り出して、カウンターの上に置いた。

そこには、パソコンでプリントされたような縦書きの文字で、こう書かれていた。


【お前が市片喜助の名を継ぐのは許しがたい。襲名を辞退しろ。口上を断固阻止する】


その紙を見て、私とホームズさんは一瞬黙り込んでしまった。

これは、脅迫状……になるんだろうか？　芸能界のことはよく分からないものの、こういう『やっかみ』は、大なり小なりある気がするのだけど。

ホームズさんは白い手袋をつけて、無言のまま、その紙を手にした。

「セロハンテープの跡がありますね。どこかに貼られていたんでしょうか？　それは喜助さんがゾッとされるような場所……しかも大量に貼られていたのではないですか？」

独り言のように洩らしたホームズさんに、喜助さんは肩を震わせた。

「え、ええ、そうなんです。僕の楽屋の壁いっぱいに貼られていました。あの……どうしてそれを？」

「これは、パソコンでプリントしたそのままのものではなく、コピー機でコピーされています。そうなると、嫌がらせを考える人間が一枚だけコピーするとは考えにくい。どうせならたくさんコピーしてベタベタ貼る方が、心理的に追い詰められると思うものでしょう。たとえば車に貼られていたとしたら、厄介なアンチだと片付けられますが、内部にまで入ってこられたとなると、話は別ですよね」

サラサラと告げるホームズさんに、ただ目を見開く喜助さん。

慣れてないと、やっぱり呆気に取られるというか、仰天してしまうのだろう。

思わずほくそ笑んでしまう。

「――いや、さすが、すごいですね。あの秋人くんが『すげぇ奴』と連呼するはずです」

参ったとばかりに頭をかく喜助さんに、ホームズさんは首を傾けた。

「……『あの秋人くん』と言いますと？」

私も少し不思議に思った。

喜助さんが、そんなにも秋人さんの言葉を信頼しているなんて。

「彼はとても素直な人間ですから」そう続けられ、私たちは「なるほど」と頷いた。

たしかに秋人さんは、本当に凄いと思った人のことしか『すげぇ奴』とは言わないだろう。意外とおべっかを使うタイプじゃないし、喜助さん相手でも、サラリと失礼な本音を言いそうな無敵さを持ち合わせてる。

「僕があなたにはじめて会ったあの後も、秋人くんは『ホームズは、本当にすげぇ奴なんだ』と口癖のように」

喜助さんは、カップを包むようにしながらシミジミと告げた。

……そんな口癖、嫌だ。

「そうですか。秋人さんにはキツく言っておきます」

って、ホームズさん！　吹き出しそうになる私の横で、喜助さんは愉しげに笑った。

「秋人くんと君は本当に仲が良いんですね」

「……どうでしょう？　それよりも、この紙ですが……」

紙をかざしたホームズさんに、喜助さんは表情を正した。

「南座の楽屋の部屋の壁中に貼られていた。にもかかわらず、目撃者はいなかったのではないですか？」

その言葉に、喜助さんは肩をピクリと震わせた。

「は、はい、そうです。誰か忍び込んだ者はいないか聞いて回ったんですが、目撃者はいなくて」

「部屋に鍵は？」

「かけてはいませんでした。貴重品はマネージャーに預かってもらっていましたので」

「なるほど。ではある程度、誰でも入れたわけなんですね」

「い、いえ、その日は公演がなく、舞台で稽古をしていたんです。一般のお客さんはほとんどいなかったと思います」

一般のお客さんが建物にほとんどいない状態。そんな中、もし楽屋の方に一般の人が紛れ込んでいたら目立つだろうし、余計にありえないわけだ。

「となると、この悪質な嫌がらせは、内部の者の仕業という可能性がある。それであなたは、警察沙汰にして騒ぎにしたくなかった。顔見世初日も控えていますしね」

「そ、そうです。まさにその通りです。どうしてそんなに、なんでも分かるんですか？」

相当驚いているのか、額に汗が滲んでいた。

「あなたが、わざわざ僕のところにきて、この件を相談したからですよ。いくら秋人さんから話を聞かされているとはいえ、どれほどの者かも分からないというのに、僕のところにきた。そのことから犯人を目撃した者もなく、かといって警察にも相談できないという、藁にもすがるような状態だった、ということが感じられます」

「な、なるほど」

汗をハンカチで拭いながら頷く喜助さん。

「あなたが『市片喜助』の名を襲名することに、良く思わない方はどれくらいいるのでしょうか？」

「そう……ですね、たくさんいると思います」

「えっ、たくさんいるんですか？」

私が思わず声を上げると、喜助さんは小さく笑って頷いた。

「ええ、それはもう、芸の世界ですからね。兄もそうですが、『自分が襲名したい』と思っているであろう役者はたくさんいます」

「そんな中、あなたは、ご自分が選ばれた理由をご存知ですか？」

「一番の理由は、市片藤三郎が、僕を推してくれたからです」

市片藤三郎さん。歌舞伎界の重鎮で、喜助さんの伯父に当たる人だ。

元女優と結婚して、奥さんに一筋なことでも知られている人。

「そして僕が推してもらえた理由ですが、まぁ、なんと言いますか、歌舞伎界も客寄せパンダが必要なのでしょう。実力は拮抗しているのかもしれませんが、一番知名度があるのは僕ですから」と喜助さんは苦笑した。

メディアに露出度の高い喜助さんは若い世代にも人気で、今や世間に一番名の知れている歌舞伎役者だ。

正直、私も喜助さん以外の歌舞伎役者さんのことはよく知らない。

伝統芸能とはいえ、興行の世界。どうせなら、知名度の高い者に襲名してもらいたいのが、正直なところなのかもしれない。

「喜助さんが『市片喜助』を襲名したのは今より三か月前です。その時から、こんなな嫌がらせが？」

「いえ、裏ではいろいろ囁かれていたかもしれませんが、こんなに表立って露骨な嫌がらせがスタートしたのは最近なんです」

「そうですか。もしかして、婚約発表後だったりしますか？」

とホームズさんが続けると、喜助さんの額に、汗がまたブワッと滲んだ。

意外と分かりやすい人だ。

「ど、どうしてそれを？」

「以前、この『蔵』でお会いした時は、あなたは顔にそんな暗い影を落としていなかったですしね。その後、何か大きなことと言えば婚約発表ですから。となると、この嫌がらせにはあなたの『婚約』がからんでいる。ぶしつけですが、まだ若く女性に対して精力的なあなたがこんなにも早く婚約されたのは、どうしてなのでしょう？　お相手の女性が妊娠された、というわけでもないんですよね？」

お、おおう！　またまたホームズさん、グイグイいくなぁ、とハラハラしながら話を聞いていた。

でも、ホームズさんが言うように、相手の女性が妊娠したわけでもないのに、こんなに早く婚約って……、と私も意外に思ったりしていた。

「そ、それは、彼女と一緒に暮らしたいと思いまして。ですが彼女は、厳しい家のお嬢さんなので、結婚が前提じゃないと一緒に住むのは認められないと」

「なるほど、それでは、今婚約者である彼女と暮らしているんですね？」

「――はい」

「この脅迫状を作成したのは、『婚約』と『襲名』、この二つを良く思わない、あなたの周りにいる人物だと思われます。そう考えると、あなたの中に犯人像が浮かび上がるのではないでしょうか？」

そう言ったホームズさんに、喜助さんは大きく目を見開き、顔面を蒼白させた。

体が小刻みに震えている。

きっとだけど、喜助さんの頭には浮かんだのだろう――、犯人の姿が。

「い、いや、犯人なんて、そんな……見当も……」

そこまで言って、カウンターの上に置かれた紙を奪うように取って立ち上がった。

「さ、さて、稽古に戻ります。突然すみません、ありがとうございました」

ペコリと頭を下げて、逃げるように背を向けた。

喜助さんがドアノブに手をつかんだ時、

「喜助さん」ホームズさんは静かに声をかけた。

喜助さんは、顔を強張らせながらそっと振り返る。

「この嫌がらせから、勢いというか『どうにも止められない想い』のようなものが伝わってきます。そういう者こそ、何をしでかすか分からないものです。どうか、お気を付けて」

強い眼差しで言うホームズさんに、喜助さんはゴクリと息を呑んだ。

「あ、ありがとうございます。気を、付けます」

再び頭を下げて、喜助さんは店を出て行った。

カラン、と店内に響くドアベル。足早に歩く喜助さんの姿が窓の外に見えた。

その険しい表情は、何か深刻なものを感じさせ、私は空恐ろしさを覚えた。

――顔見世の初日は、明日に迫っていた。

6

そうして、翌日の十一月三十日。いよいよ、顔見世初日。

昼の部は十時三十分開演ということで、私とホームズさんは、午前十時に四条大橋横の交番前で待ち合わせることにした。

私は出町柳駅から京阪電車に乗って、祇園四条駅で降りる。

ホームズさんは前日、八坂のマンションで過ごしたそうで、わざわざ南座前を通り越して、交番前まで来てくれるということだった。

交番前に向かうと、すでにホームズさんは来ていて、

「葵さん」

私の姿を確認するなり、軽く手を上げた。

朝の陽ざしに水面を輝かせる鴨川をバックに、爽やかに微笑むホームズさん。

ラフなスーツ姿がよく似合っている。

「お、お待たせしました」

私はというと、何を着ていいのか分からずに、結局はお気に入りのハーフコートに新しく買ったワンピース、ハーフブーツというスタイルになった。

「とても可愛いですね、よくお似合いです」

微笑んで言うホームズさんに、頬が熱くなる。思えば、店に来た友人の女性に対してもサラリと誉めていたし、こういうことが普通に言えちゃう人なわけだ。

勘違いしてはいけません、と心の中で自分に言い聞かせる。

「あ、相変わらず、お上手ですね」

「いえいえ、そんな。それでは行きましょうか」

「はい」

そのまま、四条大橋を渡る。

「あえて、南座の対面側である交番前で待ち合わせたのは、理由があるんです」

歩きながら話すホームズさんに「えっ？」と首を傾げた。

そういえば、南座は、信号を渡った斜向かい。

交番前が分かりやすいから、という理由じゃなかったんだ。

「こうして、少し離れたところから、顔見世で賑わう南座の様子を見ていただきたかったんですよ」ホームズさんはそっと足を止めて、斜向かいを眺めた。

「歌舞伎発祥の地に現存する、日本最古の歴史を持つ劇場です。桃山風破風造の威容が、本当に目を惹きますね」

「はい、迫力ありますよね」

そう、四条大橋まで来たなら必ずと言っていいほど目に留まる。

桃山風破風造というらしい、重厚で趣のある和風劇場建築。

『南座』と記された大きな赤提灯に、役者の名が書かれた札が並んでいて圧巻だ。

「そういえば、あの名札って普段はないですよね？」

「ええ、あの名札は『まねき』と言いまして、顔見世の際に役者の豪華な顔ぶれが一目で分かるように飾られているんですよ」

「へえ、あれって『まねき』って言うんですね！」

またひとつ勉強になった、と頷いた。

劇場前は、すでにたくさんの人で賑わっている。

着物を纏ったご婦人や礼服の紳士の姿も見える。かと思えば、平服の人もいて、本当にさまざまだ。

感心しながら信号を渡って、南座の建物前へと向かった。

本当に、すごい活気だ。

みんな明るい笑顔で、ウキウキしていることが分かる。

……今さらだけど、せっかくホームズさんに連れてきてもらったのに、私は、歌舞伎の舞台を観て、良さがちゃんと分かるんだろうか？　テレビで歌舞伎の舞台を観てみたけれど、ハッキリ言って何を話しているのかさえ分からなかった。

入口前の活気に圧倒されて、少し不安になっていると、ホームズさんはいつもの手際で何か手続きをしていた。

何しているんだろう？　と思った瞬間、黒い小型のラジオのようなものを手渡された。

「どうぞ」

「えっと、これは？」イヤホンが付いている。

「音声ガイド！　そんなものがあるんですね！」

「音声ガイドですよ」

「ええ、大抵の方が借りられますよ。丁寧な解説が入りますので、台詞も分かりますし、演目を無理なく楽しめるんです」

なるほど、歌舞伎はそうやって楽しむものなんだ！

良かった、みんな、あの寝言のような言葉を理解しているわけじゃなかったんだ。

ホッとしながら、人で賑わうロビーへと入ると、赤い絨毯の上に腰くらいの高さの竹で組んだ台のようなものがズラリと並んでいた。

「……あれは？」

「あれは、『竹馬』といいまして、歌舞伎役者へ御祝儀の目録を竹で組んだ馬で届ける南座だけの風習なんです。他でいうところの花環ですね」

「へぇ、初めて見ました」

また感心しているとホームズさんが「あ」と顔を上げた。

「葵さん、あちらにおられる和服のお嬢さんですが」

その言葉に私も顔を向けた。

視線の先には、それは上品そうな美人。明るく淡い色合いの訪問着を纏っている。

「彼女が喜助さんと婚約した、元モデルで資産家の娘さんですよ」

「ふぉお」と、思わず間抜けな声が出た。

なるほど、今をときめく花形歌舞伎役者が選びそうな、清楚な和風美女だ。

そんな彼女を遠巻きに眺めつつ、会場に向かう。

全体的に朱色で纏められた印象の会場。壁に並んだ提灯型の照明が印象的だった。

……独特の雰囲気。普通の劇場とは全然違う。

「葵さん、こっちです」とホームズさんが案内してくれたのは、二階中央最前列。

舞台が、とてもよく見下ろせた。

「あ、あの、ここって良い席ですよね？」そっと腰を下ろしながら尋ねる。

「ええ、この二階最前列は『特別席』ですね」

「特別席！」ギョッと目を丸くした。

「あ、あの……特別席なんて、いいんですか？」

「葵さん、ここは一年に一度奮発（ふんぱつ）する場なんですよ」

ふふっ、と柔らかく目を細める。

「は、はぁ」

「何より、家頭家の家訓なんですよ」

「家頭家の家訓？」

「『自分を磨くための芸術と娯楽には、出費を惜しまないこと』という祖父の教えです」

「……オーナーらしいですね」

自分を磨くための投資は惜しまない。出す時には出すという、まさに豪商の血。

「この二階最前列だけが、特別席なんですか？」

「いえ、一階のほら、花道に沿った横の席も特別席なんです。今回は葵さんに全体を見て

もらいたいと思いまして、二階最前列にしました」と一階のサイド席に視線を送り、

「――ああ、葵さん、あそこに噂の愛妻家、市片藤三郎さんが座っておられますよ」

愉しげにそう言った。

「えっ？」首を伸ばして一階特別席を見ると、テレビで観た市片藤三郎と元女優の奥様。

「わ、わあ、本当だ！　テレビのままですね、奥様もさすが元女優さん、とっても綺麗」

つい、ミーハーな声を上げてしまう。

確か、五十代のはずだけど、さすが若くてとても綺麗だ。

一階特別席を見下ろしながら、ひたすら感心していると、

「おー、ホームズに葵ちゃん」

「あら、お二人ともこんにちは」

聞き覚えのある声がして振り返ると、そこには秋人さんと浅宮麗さんの姿があった。

「秋人さんに麗さん、お二人も来ていたんですね」

わあ、と声を上げた私に、

「ええ、喜助くんの初日だし、昼から夜まで通しで観てあげようと思って」

麗さんはチケットを確認しながら、ホームズさんの隣に座った。

麗さんも特別席のようだ。

「俺もせっかくだから初日と思ってよ。そしたらそこで麗さんに会って。ホームズたちも

来てたとはな」

秋人さんは、背後からポンポンッとホームズさんの頭を叩いた。

「いちいち、僕に絡んでこなくていいですよ。秋人さんは座らないんですか？」

迷惑そうに手を払って振り返るホームズさんに、秋人さんは上の階を指した。

「俺は四等席だから、三階の一番後ろなんだ。とりあえず一番安いのでいいやと思って」

「……あなたは仮にも業界人なんですから、より良い席で勉強しようという気概を持っていただきたいものですね」

冷ややかな目を見せるホームズさんに、私の顔が引きつってしまう。

「いやぁ、ホームズ、そういうのはチケット取る前に教えてくれねぇと」

アハハと笑って、また、ホームズさんの頭をポンポンと軽く叩いた。

……やっぱり最強だ。

ホームズさんは「ふぅ」と息をついて、

「秋人さん、良かったら、これをどうぞ」と、ロビーですでに購入していた分厚いパンフレットを秋人さんに差し出した。

それは、私も買ってもらったものだ。

「パンフ？　あーいや、俺映画とかでも買わないんだよな」

「そう仰らずに。今回の演目には丁度『厳島招檜扇（いつくしままねくひおうぎ）』があるんですよ」

「いつくしまねくひおうぎ？」

「ええ、日招ぎの清盛です。お忘れになりましたか？　あなたのお父様が、あなたのお兄様に贈った掛け軸の絵の演目ですよ」

そう告げたホームズさんに、秋人さんは顔色を変えてパンフレットを受け取った。

パラパラと開くと、清盛が扇を手にしている絵が描かれている。

「……あ、サンキュー。しっかり読んでみるよ。そんじゃ、俺も席に行くわ」

パンフレットを手にしたまま、真剣な表情で三階へと向かう秋人さん。

その背を見送りながらホームズさんの隣に座っている麗さんが、ふふっと笑った。

「はー、なるほど。秋人くんが『ホームズは俺の師匠』って言ってたのが分かった気がするわ。ああやってレクチャーしてあげているのね」

そんな彼女に、ホームズさんも笑みを返した。

「彼はなんでも大袈裟に言うんですよ」

ホームズさんの言葉に、麗さんは明るく笑った。

先日『蔵』で喜助さんと濃厚なキスを交わしていた麗さん。顔を見る限り、今も会った時と変わらずに、ハツラツとした様子で、暗い影を落としてはいない。

こうして舞台まで観にきているくらいだから、割り切っているんだろうか？

しかも昼の部も夜の部も、通して観るなんて……。

その時、会場に『携帯電話などの電源をお切りください』というアナウンスが流れた。

「あ、電源切らなきゃ」

「そうですね」

スマホを手にすると、秋人さんからメールが入っているのに気が付いた。

「あれ、秋人さんからメールがきてました」

「僕の方にもきています。どうやら僕たち二人に同時に送ったようですね」

私たちは電源を切る直前に、秋人さんからのメールを確認してみた。

『大変だ、大変だぁああ！　四等席に喜助くんと噂になったグラドルがいるぅう！』

届いたのは、はしゃいだ顔文字とともに、そんな報告だった。

「………………」

私たちは無言で顔を見合わせて、互いに苦笑し、静かに電源を切った。

「ん？　秋人くんがどうかしたの？」と、こちらを見た麗さんにギョッとしてしまう。

まさか、噂のグラドルまで来てるなんて、言えたもんじゃない。

「いつもの、構われたがりでして」

ホームズさんは、内ポケットにスマホをしまった。

「それにしても、昼の部も夜の部もなんて素晴らしいですね。もしかしてチケットは喜助さんが？」スルリと話題を変える。

「ううん、私が自分で取ったの。ほら、私は元宝塚ってだけあって、舞台が大好きでね」

「なるほど」

「それに私……、喜助くんのファンなのよね」

麗さんは舞台を眺めながら呟いたあと、思い出したようにホームズさんを見た。

「あの日、店でのこと、見られちゃったのよね？　ここだけの話にしておいてね。喜助くん、婚約したわけだし」

ウインクをして口の前に人差し指を立てる。

そんな麗さんの心情が理解できず、私は思わず身を乗りだした。

「……あ、あの。麗さんは、怒っていないんですか？」

すると麗さんは、小さく笑って肩をすくめた。

「そりゃ、面白くはないけど、彼は特殊(とくしゅ)な世界の人間だから。それに私、知ってたのよね、婚約者さんのこともグラドルちゃんのことも」

あっけらかんと言う麗さんに、ギョッとしてしまう。

こ、ここでそんな話、大丈夫ですか？

慌てて周囲を見回すも、話し声がそれほど大きくないこともあって、他の人に聞こえている様子はなく、ホッと胸を撫でおろした。

「それは彼が隠し通せてなかったということですか？」

「そうなの。あの人、すっごくお酒に弱くてね。酔っぱらったら他の女の話をするのよね。それがなんていうかね、憎めないの。みんなのことを誉めるのよ。『あいつイイ女なんだ、あの子は可愛いんだ』って。男って、他の女のことをけなして誤魔化そうとするじゃない？『お前が一番だよ』ってことをアピールするために。そういうのを一切しないというか、できないのよね、みんなが大好きで。そんな彼に呆れつつも『憎めないなぁ』って、いつも思っちゃってたのよね」と足を組んで頬杖をつきながら、肩をすくめて笑う。

たしか麗さんの方が、喜助さんより年上。

そういうのもあって、可愛く思えていたのかもしれない。

とはいえ、私には喜助さんの魅力は、理解しがたいのだけど……。

「でも、まぁ、もう終わったんだけどね。さすがに婚約した人とはルール違反だし。だから、この話はここでおしまいね」

にこりと微笑む麗さんに、胸が締め付けられた。

きっと本当はつらいだろうに、笑顔を見せる麗さんはとても凛としていて美しく……、

そんな彼女を前に、私とホームズさんは静かに頷いた。

やがて開演時間となり、私はそっとパンフレットを見た。

本日の昼の部の演目は、

第一『厳島招檜扇　～日招ぎ（ひまねぎ）の清盛（きよもり）～』

第二『道行き旅路の嫁入り～仮名手本忠臣蔵～』
第三『ぢいさんばあさん』
第四『二人椀久』
第五『義経千本桜』

――となっていた。

「歌舞伎って、ひとつのお話を通して演じるわけではなく、小話をいくつか演じるんですね」

ぽつりと洩らした私に、ホームズさんは「ええ」と頷いた。

「そうなんですよ。そういえば葵さんは、舞台観劇の経験はあるんですか？」

「有名な劇団の『オペラ座の怪人』だけです」

「それなら、ひとつの演目かと思ってしまいますよね。歌舞伎は、このようにいくつかの演目に分けられていることが多いです」

へぇ、と感心していると、第一演目『厳島招檜扇』の幕が開いた。

『――全盛期を極める平清盛は、厳島の社を新たに造りました。その式典でのこと』

同時に音声ガイドから説明が聞こえてくる。

動き出した舞台。

台詞はやはりすべて歌舞伎独特のもので、素人の私には何を言っているのかまるで分からない。それでもすぐに音声ガイドが解説してくれるので、内容がすべて分かって、なんの抵抗もなくスッと舞台に集中ができた。

逆を言えば、音声ガイドがなければ、何もかもまったく分からないんだろう。必須アイテムと言えるかもしれない。

舞台には、厳島と朱色の社殿を背景に、栄華を極めた清盛に家来、そして側室たちの姿。中央に座る清盛の、見る者を圧倒させるようなオーラが凄まじく、実際の清盛もこういう人物だったのかもしれないと、まるで歴史を覗かせてもらうような気分になる。

奉納舞い（ほうのうまい）を披露（ひろう）する白拍子（しらびょうし）の姿が美しく、見惚（みほ）れてしまう。

歌舞伎役者はみんな男性だから、あの白拍子も勿論男性だ。

だけどそうは思えない、たおやかで女性らしい、美しい舞い。

その白拍子の舞いに、清盛は大いに満足し、『褒美（ほうび）をやろう、近うよれ』と申し出る。

白拍子はうやうやしく近付いたかと思うと『父の敵（かたき）！』と、短剣を手に切りかかる。

一気に緊迫する場面。拍子木（ひょうしぎ）が鳴り響く。

あまりの迫力に、観ている私もドキドキしてしまう。

白拍子はあえなくとりおさえられ、自分は源義朝の娘・九重姫（ここのえひめ）であることを告げる。

その事実に清盛は驚きながらも、自分と義朝は幼少の頃より無二の親友であり、彼を討ち取らなければならなかったことは、今も辛い思い出であることを九重姫に告げる。

そんな親友の娘まで手をかけるわけにはいかない。

許してやろうと告げるも、『逃がしては災いの因』と騒ぎ立てる家臣たちに、『いや、大事な式典を血で汚すわけにはいかない。何より清盛さまのご意志』と、それを制する家来。

結局、姫は許されて逃がしてもらい、そうして、ようやく式典に入ろうとするものの、まだ、浜辺に棟梁たちがいる。

聞くとこの辺りは、潮の流れや向きが分かりづらく作業が難航してしまっている。日が出ているうちに終わりそうもないから、式典は延期にしようと伝える家来。

事情を聞いた清盛は、『ワシが沈みかけた夕日を上げてみせよう！』と立ち上がる。

仰天する家臣や息子たち。

『この世の栄華を極めた父上でも、太陽を動かすなんて、それは無理です』

『そうですよ、清盛さま』と、声を揃える皆に、清盛は不敵に笑う。

『ふん、かつて中国の皇帝が九つの日を討ったというではないか。それならば、日を戻すことなど容易なこと』

そう言って大きな扇を持って、下から上へと仰いでいく。

すると、沈みかかっていた夕日が本当に昇り始め、

『なんということでしょう！』

皆が恐れおののく中、清盛の不敵な顔とともに幕が下りていく……。

『厳島招檜扇〜日招ぎの清盛〜』は、そんなお話で、私は呆然と口を開けてしまった。

清盛が太陽を動かして、終わるお話って……、そんな無茶苦茶な。

「……この演目は、『日すらも動かせる』ほどの勢いがあった清盛の、栄華と驕りをあらわしているといわれています。また、かつてこの演目で清盛を演じた役者たちも、時の大スターだったそうなんですよ」

圧倒されている私の戸惑いを察したのか、耳元でそう解説してくれるホームズさんに、なるほど、と頷いて、改めて舞台に目を向けた。

展開には驚かされたけど、歌舞伎の舞台は本当に素晴らしかった。

一気に独特の世界に引きずられて、現実を忘れてしまう。人間ドラマを、優雅な舞いと歌と芝居で美しく魅せる。『伝統芸能も芸術』と言っていた、ホームズさんの言葉がよく理解できた。舞台そのものが、芸術。それが歌舞伎なんだ。

――やがて休憩時間に入り、周囲がいそいそと、お弁当の用意を始めていることに少し戸惑った。

「え、ここで皆さん、お昼を食べるんですか？」

「ええ、食べるところもあるんですが、仕出し屋にお弁当等を頼んで、シートで食べるのも歌舞伎の味わいなんですよ」とホームズさんも、ゴソゴソと何やら用意を始める。

隣の麗さんも、「私はここの売店で買ったお弁当なの」と膝の上にお弁当を乗せて、得意げな笑みを見せた。

「は、はぁ」

なんとなく頷いていると、ホームズさんは紙袋の中からお弁当を二つ取り出した。

「どうぞ、贔屓にしている仕出し屋に作ってもらったものです」と、差し出してくれる。

「あ、ありがとうございます」

豪華な幕の内弁当に、息を呑んでしまう。

「あ、これがおしぼりです。お茶もありますよ」

おしぼりや未開封のペットボトルを差し出してくれた。

「……あ、ありがとうございます。いただきます」

ホームズさん、相変わらず、女子力が高い。至れり尽くせりだ。

何もできてない自分がなんだか情けない。

美味しいお弁当を口にしながら、ホームズさんの相変わらずなもてなし力に、打ちのめされていた。

そうして休憩時間を終えて、後半がスタートした。

次の演目は、『二人椀久』。パンフレットを確認していると、

「――次は、市片松之助（まつのすけ）……喜助さんのお兄さんの見せ場ですよ」

耳元でそう囁くホームズさんに、ついドキドキしてしまいながら頷いた。

『二人椀久』

それは、とても切ない物語だった。

かつて豪商として名を馳せ、廓の太夫と馴染みになった椀久は、太夫に夢中になるあまり、常軌(じょうき)を逸(いっ)した散財をし尽くしたことから、家族に捕えられ地下牢に閉じ込められる。

それからというもの椀久は、太夫恋しさに物狂いになってしまう。

月光の差す松林に出て、狂いながら彼女を想い、舞うというもの。

喜助さんの兄だという、市片松之助さんの演じる椀久の迫力に、圧倒された。

胸に迫る、哀れさと、悲しさと、彼女への愛しさ。

素人の私でも感じる――すごい役者だということを。

そう思ったのは、私だけではないようで、演目が終わり、幕が閉じていく中、

「やっぱり、松之助さんは、さすがやな」

「そやで、実力だけなら、松之助さんが襲名できたんやろうけどな」

「ほんまやな。あんな色ボケの弟に『市片喜助』の名を取られて、悔しいやろうなぁ」

そんな声があちこちから聞こえてきた。

……なんと、歌舞伎ファンは、そんなふうに思っていたんだ。

私は少し複雑な気持ちになりながら、パンフレットの写真に目を落とした。

そうして昼の部ラスト。

いよいよ喜助さんがメインの『義経千本桜』。

タイトルを見る限り、絶対に源義経が主人公だろうと思ったけれど、そうではなくて、主人公は義経を慕い、義経に化けている妖・源九郎狐。

兄・頼朝から謀反の嫌疑をかけられた義経は、京を落ち延びて吉野山にいる忠臣に匿われる。

そのことが頼朝に露見し、騒動となるのだけど、源九郎狐がそれを阻止しようと奮闘する、どこかドタバタでエンターテイメントなストーリー。

喜助さんは、この狐と佐藤忠信、源義経の三役を演じていた。床下から、屋根上から身軽に飛び出る狐の姿は、どうにも愛嬌があり、目が離せない。

先程のお兄さんの演技には圧倒されたけど、喜助さんは喜助さんで素晴らしく、何より『華』がある役者だということが感じられた。

演目のラスト、それはみごとな桜吹雪の中、源九郎狐は宙に浮いて空を駆けるように舞台を後にする。

物語のクライマックスだ。

まさか、歌舞伎でワイヤーアクションが観られるとは思わなかった！

拍手をするような気持ちで見入っていると、どうしてか急に喜助さんは空中でバランスを崩した。体を支えるワイヤーにアクシデントがあったらしく、弧を描くように落下し、その体が舞台の上に叩きつけられた。

バターン、と痛々しい音が響き、客席から悲鳴が上がる。

「……ッ！」

慌てて閉じられていく幕が、これが演出などではないことを物語っていた。

「葵さん、麗さん、行きましょう！　これはきっとただの事故ではありません」

勢いよく立ち上がったホームズさん。その顔は真剣だった。

そうだ――喜助さんには、脅迫状が届いていたんだ。

「た、ただの事故じゃないって、どういうこと？」

足早に会場を出るホームズさんの後を追いながら、麗さんは顔色を変えてそう尋ねた。

「その説明はまた。麗さん、あなたは顔が売れています。喜助さんの楽屋に通してもらえるようスタッフに掛け合ってもらえませんか？」

「わ、分かったわ」通路に出てそんなやり取りをしていると、

「ホームズ！」秋人さんも駆け寄っていた。

その後ろには、喜助さんと噂になっていたグラビアアイドルの叶野（かのう）アイリ。

――あ、秋人さん！　その人、連れてきちゃダメでしょう！

私が仰天している中、麗さんがスタッフに掛け合ってくれて、喜助さんの楽屋へと通し

てもらうことができた。

7

奥へと進んでいくと、やがて『市片喜助』と名の入った紫の暖簾（のれん）が目に入る。

あそこが、喜助さんの楽屋なんだ。

と、その時、

「大丈夫です！　病院へは後で行きますので、今はこのままで！　どうかテーピングでガチガチに固めてください！　初日、夜の部の口上だけはやらせてください！」

喜助さんの張り詰めたような声が、通路にまで響いていた。

良かった、とりあえずは無事なんだ、と、その声の大きさに少しホッとする。

ホームズさんは真剣な表情のまま、

「すみません、失礼いたします」

躊躇（ちゅうちょ）することもなく、扉を開けた。

広々とした畳の部屋。大きな化粧台に、たくさんの花が部屋を囲っている。

「ホームズくん……」

喜助さんは、驚いたようにこちらを見た。畳に足を伸ばしたまま、顔は苦痛に歪んでいる。楽屋には数人のスタッフと、市片藤三郎にその奥さん、喜助さんの婚約者に、兄の市片松之助さんの姿があった。

「なんだね、君たちは！」

突然現れた私たちを、藤三郎さんは怪訝に睨んだ。

「師匠、彼は僕の友人で……家頭誠司さんのお孫さんなんです」

喜助さんは痛めた足に手を添えて、顔を歪ませながらそう言った。

「誠司さんの……」すぐにハッとしたような顔になる藤三郎さん。

オーナーの名前は、印籠のようだ。

「喜助さん、お医者様は？」

ホームズさんは周りに目もくれず、喜助さんの元まで歩み寄った。

「今、向かっているんです。いつも医者は待機してくれているのですが、今日はたまたま、アクシデントで遅れていまして」

「……すみません、失礼いたしますね」

ホームズさんは、そっと両手でつかむように喜助さんの足に触れた。

「ッ！」さらに痛みに顔を歪ませる喜助さんに、私も皆も仰天して目を開いた。

「……折れてはいないようですね。あの状態でさすがの運動神経です。どなたか氷を、冷やすものをお願いします！」

そう声を上げたホームズさんに、今までオロオロしていたスタッフたちは、ハッとして動き出した。すぐに届けられた氷。それを使って、すぐに患部が冷やされる。

「き、君は医療従事者なのか？」

手際よく応急処置をしていくホームズさんの姿に、藤三郎さんは戸惑いながら尋ねる。

「いえ、武道をやっているので、応急処置を学んでいまして」

そういえばホームズさんは、オーナーの言いつけで小さい頃から武道をあれこれやっていたって言っていた。

「お医者様が到着されたら、改めてちゃんと処置をしてもらってください」

にこりと微笑むホームズさんに、喜助さんは「ありがとうございます」と頭を下げて、そのまま視線を藤三郎さんに移した。

「師匠、骨は折れてないです。どうか、口上だけでも！」

喜助さんは必死に声を上げる。その表情は真剣そのものだった。

藤三郎さんが口を開きかけたその時、

「駄目ですよ、喜助さん」

ホームズさんが冷ややかな表情で告げた。

「――えっ？」皆が驚いてホームズさんを見た。

「今の状態で、あなたを舞台に上げるわけにはいきません」

そう続けたホームズさんに、喜助さんは当惑の表情を見せた。

「どう……してですか？」

「また、舞台で『事故』が起こるかもしれないからですよ」

低い声で告げたホームズさんに、皆は『どういうこと？』と目を開いた。

「皆さんはご存知でしたか？　喜助さんに『脅迫状』が届いていたことを」

その言葉にスタッフたちは目をそらし、藤三郎さんは寝耳に水とばかりに瞬いた。

「……脅迫状？」

「ええ、そうです。藤三郎さんはご存知なかったようですが、他にも『知らなかった』という方は挙手願いますか？　ここにおられる方、全員に聞いています」

そう問うたホームズさんに、真っ先に手を上げたのは秋人さん。次に、麗さんにグラドルのアイリさん、市片松之助さんに、藤三郎さんの奥様も手を上げていた。

これらが知らなかった人たち。知っていたのはスタッフと、喜助さんの婚約者。

この楽屋の壁中に脅迫状が貼られていたと言っていたから、それでスタッフは知っているのだろう。だけど他の役者さんには知らせていなかった、そんな感じだった。

「その脅迫状は喜助さんの襲名を許せず、口上を阻止するというものでした。今回の件がもし脅迫状の主の仕業でしたら、また舞台に出て口上を行おうとする喜助さんに、さらなる攻撃を仕掛けるかもしれません」

落ち着いた口調で告げるホームズさんに、皆はただ驚き互いの顔を見合わせた。

「い、いや、でもね、君。私たち役者は、時に悪質な嫌がらせを受けるものだ。私だって脅迫状のような手紙を受け取ったことはある」

戸惑いながら言う藤三郎さんに、ホームズさんは苦笑した。

「喜助さんに届いた脅迫状は、舞台公演のない日、この部屋の壁中に貼られていたんです。その後に今回の事故。そんなことが一般人に起こせるでしょうか？」

「なんと」藤三郎さんは、心底驚いたように目を剥いた。

「今回のアクシデントは事故ではなく……」

そこまで言いかけたホームズさんに、

「事故です！」喜助さんが遮った。

「脅迫状は届いていました。『市片喜助に相応しくない、口上を阻止する』そういう内容のものでした！　当然です、僕はまだ未熟者です。そんな脅迫状が何百通来たって、どこにどれだけ貼られようとおかしくない！　だけど、今回のアクシデントは事故なんです！」

耳にビンッと響くくらいの声で言う。

シンとした静けさが楽屋を襲った。

その場にいる皆が何も言えずにいると、

「じ、事故じゃないわ。彼はずっと苦しんでいたんです！」

沈黙を破るように、婚約者が悲痛な声を上げた。

皆はハッとして婚約者に注目する。

彼女は肩を小刻みに震わせながら目を伏せて、自分の体を抱きしめるようにした。

「彼は何も話してくれなかったけど……何者かの影に怯えていたんです。きっと、私との婚約を早急に進めたのも、一人でいられなかったからじゃないかと思うんです。おそらく彼は脅迫状の送り主を知っているんです」か細くそう言う。

彼女も胸を痛めていたのだろう。

「……あなたにも見当がついているんですよね？」

ホームズさんの問いに、彼女は驚いたように顔を上げた。

「い、いえ、見当はついていません。ただ、彼は分かってる、そんな気がしただけです」

「それでは、その脅迫状の送り主。女性だと思いますか？　男性だと思いますか？」

続けて尋ねたホームズさんに、彼女は再び目を伏せた。

「……女性だと、思います。その女性から逃れたくて、私との婚約を急いだのではと感じましたので。私たちの婚約をよく思っていない女性に違いないです」

それはつまり、喜助さんと関係のあった女性たち。

――麗さんに、アイリさん。

「ちょっと、なにそれ、アタシのこと言ってるわけ？　たしかにムカついたけど、そんな陰湿なことしねーし」

今まで黙っていたアイリさんが鼻息荒くそう言って、腕を組んだ。

その横で、麗さんも強く頷く。

「そうよ、第一、それならどうして『口上阻止』になるわけ？　どうせなら『婚約阻止』でしょう？」

「だよね、口上なんてどうでもいいし」

——たしかにそうだ。とはいえ、今回たまたま喜助さんが足を痛めた程度で済んだから良かったものの、一歩間違えれば、大変な事態になっていたわけで。

『口上阻止』というのは、カムフラージュかもしれない。

それとも、素直に襲名が面白くなかったが故の犯行だとするなら、私はお兄さんの松之助さんが、怪しい気がするんだけど。でも、『口上阻止』という脅迫状が届いている以上、真っ先に怪しまれるのは松之助さんなわけで、それは浅はかすぎる気も……。

もしかしたら、市片兄弟を陥れようとする者の仕業なのかも？

……ああ、分からなくなってきた。

「今回のアクシデントが故意ではなく、ただの事故だと仮定します」

そう話し出したホームズさんに、私たちは我に返って顔を上げた。

「それは不幸中の幸い、奇跡的なものでした。ワイヤーがトラブルを起こしたタイミング。

喜助さんがもっと進んでいたなら命に係わるほどの大事故になったでしょう。客席に落下してしまう可能性もあります。しかし、あのワイヤーはあそこでトラブルを起こしたことによって客席に落ちることもなく、喜助さんも怪我程度で済む高さではありました。また固定されたもう一本のワイヤーの加減から、頭から落ちないようになっているようにも見えましたから、僕は最初、これも演出なのかと思ったほどです」

「――なにが、言いたい？」

眉根を寄せる藤三郎さん。

「最初に言ったように事故だと仮定しての話をしたまでです。では、今度は故意だとしましょうか。脅迫状の主が故意にワイヤーを操作する。そんなことは、普通に考えて不可能な話です。ですが犯人がスタッフなら別です。舞台装置スタッフの中に、喜助さんを恨む者がいたならできることかもしれませんね。

――もしくは、そのスタッフを買収し、なおかつ口を塞げる人物。となると、麗さんやアイドルの彼女には難しいことかと思います。歌舞伎は特殊な世界ですし」

すると、松之助さんが体を震わせながら、ホームズさんを睨んだ。

「なんだよ、それじゃあ、俺がやったとでも言いたいのか？　次期『市片喜助』と言われ続けながら、弟に名を取られたことを恨んでやったと？　ああ、たしかに悔しかったよ。そのくらいやってやりたい気分だけど、弟は芸能界での人気者だ。ショービジネスの世界、有名な者が勝つってことくらい理解してんだよ！」

松之助さんは目を剥きながら、声を張り上げた。

「ええ、僕はあなたがやったなんて思ってません」

サラリと言うホームズさんに、松之助さんは拍子抜けしたように口をポカンと開けた。

「……藤三郎さん、改めてお聞きしたいのですが、あなたが、彼を次の『市片喜助』にと強く推したと聞きます。その決め手は、なんだったのでしょうか？」

そう問われて藤三郎さんは、一瞬、隣に立つ奥さんと顔を見合わせた。

「それは……彼には役者としての『華』がある。実力は努力で身につけられるものだが、持って生まれた『華』というものは、努力ではどうにもならない。それもまた才能のようなものだと、思っている」

「そして、奥様に強く推されたからではないのですか？　次の『市片喜助』には、松之助よりも彼をと」

そう付け加えたホームズさんに、藤三郎さんは目を見開いた。

「か、家内はたしかにそう言ったが、それがなんだと言うんだ。襲名は私一人で決められるものではない。梨園が次の喜助は彼にと決めたんだよ」

藤三郎さんはムキになったように手を広げた。

「――ええ。ですが、もしかしたら、奥様はそう思われていないかもですね。彼が市片喜助になることができたのは、自分の働きのおかげと思っておられるかもしれません」

その言葉に、皆は息を呑んで藤三郎さんの隣に立つ奥様に目を向けた。

さすが元女優と思わせる美しい熟女。

そんな彼女は、こめかみをピクピクと引きつらせている。

「……今回の事件には『制裁（せいさい）』のようなものが感じられます。制裁とは裏切りが起こった時にくだされるもの。喜助さんに、裏切られたように感じられましたか？」

ホームズさんは奥様に向き合い、静かに、それでも強い口調で尋ねた。

奥様は体を小刻みに震わせると、うわあああ、と声を上げて泣き崩れた。

「あ、あの女が私に言ったのよ、『喜助さんは醜い年増女に言い寄られて、参ってるって言ってると。自分の出世のために構ってやっただけなのに、身の程をわきまえずに暴走して気持ち悪い』って！」奥様は泣きながら婚約者を指差して、続けた。

「わ、私だって気付いていたわ、彼が『市片喜助』になりたくて、出世目的で私に近付いてきていたことくらい！　それでも構わなかった。だけど私のことを、婚約者にそんなふうに言うなんて！　気持ち悪い年増女だなんて！」

——は、はい？

あまりのことに思考が停止する。

え、ええと……つまり喜助さんは、藤三郎さんの奥様にも手をつけていた。

婚約者はそれに気付いていて、奥様に向かって、『彼は年増女に言い寄られて困ってるんです』と嫌味のように言った。

そこで彼女は、元女優のプライドやいろんなものが崩れ落ちて、『私のおかげで襲名できたのに、そんなふうに言うなんて許せない！』と、悪鬼のようになってしまった。

——そう、藤三郎さんの奥様ならば、もしかしたら今回のようなことも可能なのかもしれない。

私も皆も呆然とする中、麗さんが勢いよく身を乗り出した。

「そ、それは絶対に嘘よ！　喜助くんは、女癖は悪いけど、女の悪口を言うような人じゃないわ、それは悪いけど、婚約者の嘘だわ！」

その言葉に、婚約者はプーッと吹き出した。

「そうよ、嘘よ。喜助さんがこんな年増女とも寝ていることが気持ち悪くて仕方ないから、言ってやったのよ。あの時のこのオバサンの顔と言ったら、傑作だったわ。襲名のためだけに相手にされたってのに、勘違いして、バカみたい」

それまでの様子から一変して、下品にアハハと笑う婚約者の姿に、皆は絶句した。

「こ、この女ッ！」

奥様が立ち上がりかけたその時、

「それは違うっ！」

喜助さんが、大きな声を張り上げた。

あまりの声の大きさに、皆の体がビクンと止まる。

……違うって、何が？

皆が同じ気持ちで、喜助さんに注目した。

「僕が彼女と……あやめさんと関係を持ったのは、襲名のためじゃない！　ただ単に惹かれたからです。どうしようもなく惹かれてしまって、関係を持ちました！　けれど、彼女の方が止められなくなっていることに気が付いて、こんな不毛な関係を終わらせなければと婚約を急ぎました！　こんなどうしようもない僕の不手際のために、このような大騒動になってしまいまして本当に……本当に申し訳ございませんでした！」

痛む足を正して、その場に土下座する喜助さん。

再び部屋が静まり返る中、藤三郎さんが一歩前に出た。

「……面を上げ」

低い声で告げた藤三郎さんに、顔を上げる喜助さん。

その瞬間、藤三郎さんの平手が飛んで、バシンッという、それは痛々しい音が響いた。

喜助さんの上半身が仰け反って倒れるほどの衝撃だった。

「……こ、の、たわけもんがぁ！」

通路中に響き渡るような声で叫ぶ。

「申し訳ございませんでした！　謝って済むことではないことは重々承知です。歌舞伎界から追放されても仕方ないと、思っております」と、喜助さんは床に額をつけた。

「その足をどうにかしてでも、立派な口上をせい！　今後は歌舞伎界に身を捧げよ！」

耳に痛く感じるほどの張りのある声で、そう言い放つ。

「は——、はいっ！」

喜助さんは目に涙を浮かべて、また頭を下げた。

「あやめ、行くぞ！」

不貞を働いた奥様の肩を強く抱いて、藤三郎さんはそのまま部屋を出た。

喜助さんは頭を下げたまま、控室は静寂に包まれる。

「あ、あなた……ごめんなさい、本当に……ごめんなさい」

ややあって、通路から奥様の泣き声が聞こえてきた。

「………」

奥様は、大丈夫なんだろうか。

心配になって、そっと通路を覗くと、呆然と立ち尽くす奥様の前に、藤三郎さんが背を向けている姿が見えた。

大きな背中から、怒りのようなものが放たれていて、私まで膝が震えてきてしまう。

しばしの沈黙が続き、藤三郎さんは大きな息をついたあと、ゆっくりと振り返った。

強い眼差しに、奥様の体が目に見えて分かるほどにビクンと震えた。

叩かれるとでも思ったのだろうか、ギュッと目を瞑り、身構えたようにも見える。

「……お前と結婚する前に、わしも派手に遊んで、たくさんの女を泣かせてきた。これはその報い、因果だな」

まるで独り言のように、静かに洩らした。

奥様は「えっ？」とためらいがちに、そっと目を開けた。

「……そして、あやめ。もしかしたら、わしはお前に寂しい思いをさせていたのかもしれないな。すまなかった」

そう言って、藤三郎さんは頭を下げた。

「……あなた」

奥様は大きく目を見開いていたかと思うと、うっ、と嗚咽を洩らし、倒れるように床に膝をつき、泣き崩れた。

藤三郎さんは無言で歩み寄って、そんな妻の体を優しく撫でる。

すごい、と心から思った。

不貞を働いた妻を一言も責めずに、『そんなことをさせてしまったのは自分のせいだ』と謝る歌舞伎界の大物の男気に、圧倒されてしまった。

藤三郎さんは、本当に器の大きな人だ。

もし、私が藤三郎さんの立場だったら、あんなふうに許せるんだろうか？

……きっと、無理なんじゃないかと思う。

自分の器の小ささを痛感して、楽屋に顔を向けると喜助さんの婚約者が『やれやれ』という様子で肩をすくめていた。

「それではわたくし、今日限り婚約を解消させていただきます。今まで、なんとか我慢してきたけど、やっぱり無理、もう限界。あのオバサンと出世のために関係を持ったなら、仕方ないと思ってたけど、本気とかありえないわ。短い間だけど、お世話になりました」

婚約者はキッパリとそう言い放って、颯爽と控室を後にした。

「私も今日は文句を言いにきたんだけど、最後に超楽しいショーを観られてスカッとしたわ。ありがとう。バイバイ」

と、彼女の後に続く、アイリさん。

――こちらは、なんてドライな。

「……ロビーで婚約者さんを見掛けた時は、なんて清楚でか弱そうな方だろうと思ったんですがね。あんな強い方だとは思いませんでした」

振り返りもせずに去っていく婚約者の背中を見送りながらポツリと洩らした私に、ホームズさんが小首を傾げた。

「そうですか？　僕は、『なんてプライドが高そうな方なんだろう。喜助さんとは合わないのでは』と勝手に心配していました」

（……さすがです、ホームズさん）

喜助さんは畳に座り込んだまま、今も沈痛の面持ちで目を伏せていると、麗さんがその背中をバシッと叩いた。

「ほら、喜助くん。何を呆けているの。お医者様が来てくれたみたいよ。しっかり固定してもらって、立派な口上を務めなさいよ！」

明るくそう言う麗さんに、喜助さんは頬を紅潮させながら、

「は、はい！」と声を上げた。

そんな麗さんに、私の心も喜助さん同様救われる気がした。

「そうだよ、喜助くん、気にすんなって！　モテる男はつらいよな、俺、すげー分かるし！」

そんな麗さんの横で秋人さんがしきりに頷いていた。

（……さすがです、秋人さん）

8

「――はぁ、それにしても、大変な騒動でしたねぇ」

南座を出て、鴨川のほとりを散歩するように歩きながら、私は大きく息をついた。

空は薄暗く、風が冷たい。

川沿いに軒(のき)を連ねる先斗町飲食店の明かりが、仄(ほの)かに灯(とも)り始めている。

「ええ、演目同様、とても見応えがありましたね」

「もう、ホームズさん、そんな」

「あのわずかな時間で、人がグンと成長する姿なんて、そう拝(おが)めるものではありませんから。喜助さんは今日を境に素晴らしい役者になりますよ。楽しみですね」

水面を眺めながら楽しげに目を細めるホームズさんに、なるほど、そういうことか、と私も頷いた。

「……本当ですね。それに私、ほんの少しだけ喜助さんのこと見直しちゃいました。少しも誤魔化さないんですもん。とはいえ、喜助さんの予想を上回る女癖の悪さには驚きましたけど」

「まぁ、歌舞伎役者ですからね」

「また、そんなふうに……。だけど喜助さん、一人一人のことをそれぞれに愛していたって感じがしますよね」

それだって言語道断(ごんごどうだん)なんだけど。

「そうですね。麗さんの仰っていた通り、憎めない方ですね。よく祖父が言うんですよ。

『男は好きなように生きるといい。ただし、その責任のすべてを取れ』と。今日の喜助さんを見ていたら、祖父のその言葉を思い出しましたね」

なんだか、オーナーの言いそうな台詞だ。

喜助さんは、まさに好きなように生きたわけで、これから、その責任を取っていかなければならないんだろうな。

「そして、奥様の不貞を許した、藤三郎さんの器の大きさに圧倒されました……」

あの時の藤三郎さんの姿を思い浮かべながら熱い息をつくと、ホームズさんは、そっと口角を上げた。何か思うことがありそうな顔だ。

「どうかしました？」

「いえ、やはり葵さんは真っ直ぐな方だと思いまして。僕は腹黒いので、そうは思わなかったんですよ」

「えっ？」

「過ち(あやま)を許すことで、相手のすべてを支配できることもありますからね」

「な、なるほど」

これまで藤三郎さんは奥様の言いなりだった可能性もあるわけで、そうだとしたら今回の件で立場が逆転したに違いない。奥様は旦那さんに感謝して、尽くす女性に変わる可能性もあるわけだ。打算(ださん)もあったのかもしれない。

――だけど……。

「……たとえ打算だとしても、許すことはすごいことですし、自分の犯した大きな過ちを許してくれるような人にならば、支配されてもいいかなって思ってしまいそうです」

夕暮れに染まる西の空を眺めながら、静かに告げた。

ホームズさんは神妙な顔つきをしたかと思うと、「葵さんらしいですね……」と頷いて、腕時計に目を向けた。

「ああ、もうこんな時間ですね。そろそろ食事に行きましょうか。予約の時間も近付きましたし」

「あ、はい」と、私は顔を上げた。

短い時間にさらに陽が落ちて、先斗町の明かりが、幻想的に映る。

「……それにしても、ホームズさんの『お礼』が、顔見世を観たあとに先斗町でお食事だなんて、豪華すぎますよね。ボーナスとはいえ、恐縮しちゃいます」

肩をすくめた私に、ホームズさんは何も言わずに苦笑した。

「……そういえば、前に仰っていた合コン、行かれたんですか？」

少しの間のあと、今思い出したように尋ねるホームズさんに、

「へっ？」と瞬いた。

合コンって、なんのことだろう？

一瞬、戸惑ったものの、以前クラスメイトに誘われていたことを思い出し、「ああ」と相槌をうった。

「それはとっくにお断りしてますよ。元々気乗りしてなかったですし、勉強もがんばらなきゃいけなかったし」

「そうですか。……そうですよね」

ふっ、と微笑むホームズさん。

どうして今さらそんなことを……、と私は首を傾げた。

やっぱり、心配してくれていたんだろうか？

「……ご心配してくださって、ありがとうございます」

会釈した私に、ホームズさんは戸惑ったような目を見せたあと、

「そうですね……」と静かに洩らし、気を取り直したように、顔を上げた。

「――葵さん、食事の後は『蔵』でみっちり勉強ですよ。今度の試験は、ちゃんと良い点を取っていただきたいので」

くるりと振り返って、強い口調で言うホームズさんに、「は、はい！」と頷く。

「ですが、その前に、美味しいものをたくさん食べましょう」

「はい、嬉しいです」

ふふっ、と微笑み合って、先斗町に向かう。

初めての顔見世。

素晴らしい舞台に大きな感動を覚え、その後の事件を通して、人の愛憎、そして成長を目の当たりにし、胸を熱くさせられた——それは、忘れられない冬の夕暮れだった。

第二章　『聖夜の涙とアリバイ崩し』

1

「……し、信じられない」

年末の定期試験を終えて、私はその結果を前に、呆然と呟いた。

次のテストの結果が悪かったら、バイトを辞めなさい、と親に言われたことから、私は勉強をがんばり、なおかつ、ホームズさんに家庭教師までしてもらえたおかげで、自分でもかなりの手応えを感じていた。

だけど……まさか、こんなにも点数が上がるなんて。

ホームズさんが目標と言っていた『一教科につき二十点UP』は、さすがに無理だったけれど、今回の試験の総合得点は、私の過去最高となった。

「――葵、今回はすごくがんばったのね。順位もこんなに上がって……」

リビングで成績表を手に、母は嬉しさを通り越して、「信じられない」と洩らした。

「う、うん、バイト辞めたくないし……」

想像以上の結果に私自身も戸惑いがあり、ぎこちなく答えてしまうと母は眉根を寄せた。

「あのね、葵」

「う、うん？」

「あなたのことを疑うわけじゃないけれど、突然こんなに成績が上がるなんて、正直普通じゃないわよね？」

成績表をテーブルに置いて、しっかりと目を合わせてくる。

まるで、悪いことをした子どもを諭すような目だ。

どうやら、母は私がバイトを辞めたくない一心で、不正をしたとでも思っているのかもしれない。

母から見た私は、以前と変わらずバイト三昧。部屋での勉強時間も以前とさほど変わらないし、塾に通い出したわけでもない。それなのにどうして？　というところだろう。

疑われることは面白くないけれど、疑われても無理もないほど、不自然なほどに成績が上がったのは事実だ。

「不正なんかしてないよ」

ピシャリと言い放つと、母は口をつぐんだ。

疑いの眼差しは引っ込めてくれたけど、納得はできていないようだ。

「バ、バイト先の人が、勝手に責任を感じて勉強を見てくれたの」

どうしてか、ドキドキして、声が小さくなってしまう。

すると母はポカンと口を開いた。

「バイト先の先輩が、勉強を教えてくれたの？」

「う、うん」

「勉強を教えられる方なんだ？」

「う、うん、現役京大院生だから」

そういえば母に、バイト先のことを詳しく話してなかった。

泊まり込みで鑑定をすることになったり、ボーナスとして歌舞伎に連れて行ってもらったことは、簡単に伝えているけれど、どういう経緯でバイトすることになったか、そこにどんな人がいるといったことは説明していなかった。

もともと、不純な動機でバイトを始めたってこともあるし。

「げ、現役京大院生なんてすごいじゃない！」

声を裏返し、瞬時にすべてを納得した様子の母に、最初から言っておけば良かった、と肩をすくめた。やはり、京大ブランドの威力は凄まじい。

「でも、その京大院生さんも同じバイトでしょう？　どうして責任を感じるの？」

突っ込んで尋ねられ、言葉に詰まった。

「え、ええと、なんていうのか……」

何から説明して良いのか……。私は初めて、母に『蔵』と家頭家のことを伝えた。

国選鑑定人として名の知れたオーナーのこと、時代小説を書いている作家の店長のこと、そして、オーナーの弟子で孫のホームズさんのこと。

親子三代の話をかいつまんで説明すると、母は真剣に聞き入り、

「へぇ、面白い家なのねぇ」と、興味深そうに頷いた。

「家頭誠司さんねぇ……。私は聞いたことがないけど、死んだお祖父ちゃんなら、知っていたかもしれないわね。骨董品が大好きだったから」

腕を組みながら独り言のように洩らす。

やっぱり関東圏の人間には、オーナーの印籠は通用しないようだ。

「う、うん、お祖父ちゃんなら知ってたかも。関西の人の間では知られているみたいだし。それはともかく、成績が上がったのはホームズさんのおかげだし、そもそも、バイトが学業の妨げになってるということはないから」

「『ホームズ』さん？」と、母は首を傾ける。

「あ、あだ名なの。ホームズみたいに鋭い人でね、それに苗字が家頭だから」

「ああ、家頭で、ホーム・ズ、ね」

またすぐに納得する母を前に、ホームズさんが、『苗字が家頭だからですよ』と、いつ

も言う気持ちが、少し分かった気がした。

「まぁ、それで、その『ホームズさん』のおかげで、葵はこんなに良い点を取れたわけね？」

母は成績表を手にくすりと笑う。

「う、うん」

「それは、ぜひ、お礼をしたいわね」

「へっ？」

「もし良かったらだけど、今度うちにお呼びしなさいな。家庭教師をしてもらって、こんなに成績が上がったわけだし、顔見世に連れて行ってもらったりと、他にも随分お世話になってるんでしょう？　うちはいつでも都合合わせられるから」

笑顔で身を乗り出す母に、頬が引きつってしまう。

ホームズさんを家に呼ぶなんて、なんだか変な感じだ。どう思うんだろうか？

……でも、そういえば、ホームズさんは前に、

『葵さんの家にあるというお祖父様のコレクションが気になります。一度、識(み)に行ってみたいですね』なんて言っていたこともあるし、これは、家にある祖父の遺品を識てもらう良いチャンスかもしれない。

家に呼ぶことに、恥ずかしさと戸惑いを感じながらも、うん、と頷いた。

2

「――そうか、あいつ自身が、結婚する気、なかったんやなぁ」

翌日、私が学校帰りに『蔵』を訪れると、カウンターには上田さんがいて、少し残念そうに息をついていた。

どうやらホームズさんは、掛け軸に込めた上田さんからのメッセージを読み取ったことを話し、その上で、『父は自分に遠慮しているわけではなく、ただ単に結婚する気がないんですよ』と伝えたようだ。

「――実はこの前、あいつに見合いをセッティングしてん」

「見合いを？」意外そうな声を出すホームズさんに、「せや」と頷く。

見合いの話は、私は店長から直接聞いていたけれど、ホームズさんは初耳だったようだ。

「あいつの大ファンやて女性がおって、これがまた綺麗で上品で、めっちゃええ女やねん。あいつと同じように旦那とは死に別れてて、子どもはもう成人しとるんやて。こんなええ話ないやろ？　で、見合いってことは黙って、会わせたって、あとで『これは見合いや』言うたら、『申し訳ないけれど、お断りする』言うて。なんで断るんやって話やで、ほんまに。もったいないわ」上田さんは鼻息荒くそう言って、頬杖をついた。

カウンターを挟んで対面に座るホームズさんは、まあまあ、と笑った。

「そっとしておいてやってください。父自身がその気になれば、誰にお膳立て(ぜんだ)されなくても再婚しますよ」

「せやろか？」

「ええ、家頭家の男は頑固ですから、誰になんと言われようと、自分が納得しなければ動きませんので」

その言葉には大きな説得力があり、私と上田さんは思わず顔を見合わせて、なるほど、と頷いてしまった。

「ま、ええわ。ほんで、さっきの話に戻るけど、頼まれてくれへん？」

上田さんは気を取り直したように、ホームズさんに向き合って、パンッと手を合わせた。

「…………」

ホームズさんは何も答えずスッと視線を落として、在庫帳のチェックを始める。

「思い切り無視か」

口を尖らせる上田さんに、私は首を傾げた。

「……上田さん、ホームズさんに何かお願い事をしていたんですか？」

私は店に来たばかりなので、その前のやり取りは知らない。

何をお願いしたんだろう？

「せやねん。葵ちゃんからも言うたって。ホームズが俺の頼みを聞いてくれへんのや。こないに世話しとるのに」

「世話って……それとこれは別でしょう」

ホームズさんは、不本意そうに眉を寄せた。

「お願いって、何を？」

「今度、店を開くんやけど、一週間だけホームズに店頭に立ってもらいたいんや。ほら、この通りのイケメンやろ？　看板男子として」

と上田さんは、両手でホームズさんの顔を挟んだ。

「……ずっとそこで働けるというわけじゃないのに、一週間だけ手伝ってどうするんですか。大体、僕には大学も店もあって大変なんです。その上、他の店の手伝いまでなんて、無理です」

ホームズさんは呆れたように顔を背けて、上田さんの手を払う。

うん、ホームズさんが言うのも分かる。

店番と大学だけでも大変だし、上田さんの店にしたって、ずっといられるならさておき、一週間だけ手伝うなんて意味がない気がする。

「うちの店は一度入ったら雰囲気もええし、味もええから、リピーターになってもらえる自信はあんねん。ただ、最初に客寄せパンダが欲しいんや。なぁ、頼むで、パンダ」

「露骨に『パンダ』と言わないでください」ぷいっ、と横を向く。

ホームズさんは頑固だから、口説き落とすのは難しそうだ。

「それで、上田さんが今度開くそのお店って、どんな店なんですか？」

上田さんはこう見えてやり手の実業家だ。大阪を拠点に、経営コンサルタントや通関事務所など、さまざまな事業を展開している。今日もイタリア製の上質なスーツを身に纏い、プラチナの腕時計、ピカピカに磨かれた靴と、成功していることが窺える様相だ。

「流行りもんのスイーツカフェや」

「流行りもんって？」

「ああ、流行は移り変わるやろ？　クレープにワッフル、ベーグルにパンケーキと。せやから、その都度、臨機応変に人気のスイーツをメインに売り出していく予定やねん」

「あ、それいいですね」

「ほんでもって、店員はみんなイケメンを揃えるんや。別名『イケメンカフェ』やな」

「イ、イケメンカフェ」

「そんなわけで、最初だけでもホームズに入ってほしい思っててん」

「な、なるほど」

上田さんの言葉に、思わず強く納得してしまった。

人気のスイーツを提供するカフェのスタッフはみんな見目麗しい男子たち。

そのスタッフに、ホームズさんにも加わってもらえたら、という上田さんの気持ちは、理解できる。ホームズさんがトレイを手にスイーツを運ぶ姿はとても似合うだろう。

「せやから、頼む、ホームズ！　京都寺町三条のパンダ、いやイケメン！」

「光栄ですけど、お断りします」

考える間もなく即答する。一刀両断だ。

「そんな殺生な。ああ、ほら、もうすぐクリスマスやんけ。バイト代弾むで！」

「……これでも僕は身を削って働いているんです。あなたからバイト代をいただかなくても大丈夫ですよ。それに自分の店を放っておいて、人様の店の売上に貢献するなんてありえないでしょう」と、冷笑を浮かべるホームズさんに、上田さんは顔を引きつらせた。

「お前はいやらしい男やな」

「今、気付きましたか？」

「いや、知っとったけど」

そんな二人の様子に、笑ってしまう。本当に、親戚のように仲の良い二人だ。

「ほんなら、うちの店を手伝っている間、『ここは期間限定で、ボク、普段は寺町三条の骨董品店におるんですぅ。骨董品だけやなく雑貨も取り揃えてますんで来てや』って、いつものようにブリッコして客を引っ張ってもええで。新たな客を取り込むチャンスやろ」

その言葉に、ホームズさんは動きを止めた。どうやら、悪くないと思ったようだ。

「……ですが、一週間は長いですね。毎日大阪まででしょう？」

「あ、大阪ちゃうねん。京都市内、北山通に出すんや」

サラリと言う上田さんに、

「北山通！」

私とホームズさんの声が揃った。

――北山通。

それは『北大路通』よりも、さらに北にある通りで、洋風建物に教会、街路樹が並び、京都らしからぬ、洋風のお洒落でエキゾチックな通りだ（ちなみにうちからも近い）。

「北山通、ですか。そこでカフェは良いですね。植物園にコンサートホールも近くにある芸術的な地区です。さすが商売人ですね」と、腕を組むホームズさん。

「せやろ。そうや、お前もいずれここをカフェにしたい思っとるわけやし、いい経験になると思うで」

「まぁ、北山通なら、手伝うのも悪くないですね。ですが一週間は長いです」

「分かった、五日！　五日ならどうや」と手を開いて見せる上田さん。

「三日ですね。三日なら手伝ってもいいです」

三本指を出すホームズさん。

「よっしゃ、間とって四日や！　決まり！」

上田さんはそう言って、パンッと手を叩いた。

って、上田さん……。

「――分かりました、四日でいいですよ」

参ったとばかりにホームズさんは大きく息をついた。

「よしよし、これでつかみはOKやな。とりあえず、今度の土曜日夕方あたりに来てくれへん？　店を見てほしいし。武史には俺が話通しとくで」

「……分かりました」

「おおきに、ホームズ。バイト代弾むな」

上田さんはふんふんと嬉しそうにコーヒーを口に運んだ。

「いえ、バイト代は結構ですよ。いつもお世話になっている上田さんですから、無償（むしょう）で力を尽くさせていただきたいと思います」

まるで、無欲な少年のように清涼（せいりょう）な笑顔を見せるホームズさんに、私はどうしてかゾッとしてしまう。

それは上田さんも同じだったようで、顔を引きつらせていた。

「……なるほど、『無料（タダ）ほど高いモンはない』って、やつやな。相変わらず喰えん坊（ぼん）やな」

「上田さんほどでも。大丈夫ですよ、キッチリ仕事はしますから」

ホームズさんはサラリと言って、再び在庫帳に視線を落とした。

「それは分かっとる。お前は引き受けた以上は、ちゃんとやる男やさかい。なんやデカい借りを作った気ぃする」上田さんはハーッと息をついたあと、

「ほな、俺はもう行くわ。そんじゃ、土曜日頼むな」

そう言って、店を出て行った。

上田さんがいなくなったことで、いつも静かな店内がいっそう静まり返ったように感じる。コチコチと進む時計の針の音が聞こえるほどだ。

「そういえば、葵さん。試験の結果は大丈夫でしたか？」

思い出したように顔を上げたホームズさんに、「は、はい」と姿勢を正して向き直った。

「今、ご報告しようと思っていました！」

「葵さん、軍隊じゃないんですから。ですが、その様子は悪くなかったんですね」

ホームズさんは結果を聞く前から、嬉しそうに微笑んだ。

「はい、それはもう。今までにないくらいの点数を取ることができまして、順位もグンと上がって、親に不正を疑われたくらいでした」

「不正を？」

心配そうな目を見せる彼に、慌てて首と手を振る。

「あ、大丈夫です。現役京大院生のホームズさんに家庭教師をしてもらったことを伝えたら、納得してもらえました」

「それは良かったです」

「そ、それで、うちの母が、ホームズさんにお礼をしたいから、ぜひ遊びにきてくださいなんて言うんですよ」

少し緊張しながらそう言うと、ホームズさんは目をパチリと開いた。

「お礼なんてそんな。うちのせいで成績が下がったわけですし」

「い、いえいえ、そんなことはないです。で、でも、ご迷惑ですよね。母には忙しいからと伝えておきます。ただ、そのくらい感謝してまして」

決まりの悪さに、つい早口で言うと、

「そういえば、葵さんの家には、お祖父様の残された骨董品や掛け軸がたくさんあるんでしたよね？」とホームズさんが顎に手をあてた。

「は、はい」

「一度識てみたかったですし、せっかくですから、お邪魔してもよろしいでしょうか」

「ぜ、ぜひ。うちはいつでも都合を合わせられると言ってました」

「それでは、次の土曜日はどうでしょうか？　夕方に上田さんのカフェにうかがいますし、その前に」

「だ、大丈夫だと思います。それじゃあ、土曜の午後に」

「もし良かったら、その後、葵さんも上田さんのカフェを見に行きませんか？」

「はい、ぜひ。見てみたいです」

「では、午後二時くらいに葵さんの家にお邪魔して、その後、一緒に上田さんのカフェに行きましょう」

「は、はい」

「葵さんの家のコレクション、気になっていたので、とても楽しみです」

「きっと、ニセモノばかりのような気もしますけど、よろしくお願いします」

私は恐縮しつつ、頭を下げた。

3

――そうして、土曜日。

私は午後二時少し前に、最寄りのバス停までホームズさんを迎えにいくことになった。

「それじゃあ、迎えにいってきます」

と、玄関で靴を履いていると、母がバタバタとキッチンから出てきた。

「ほ、本当に、お菓子はバイカルのアップルパイで大丈夫なのね？」

「う、うん。前に『バイカルのアップルパイが好き』って言ってたから、ハズレはしないと思うし、そんなに気負わなくていいよ」

「そ、そう？　それじゃあ、いってらっしゃい。先生をお待たせしちゃ駄目よ」

「う、うん。でも、『先生』って」

母の中では、すっかり『京大院生の家庭教師』になっているようだ。

私は苦笑しつつ、徒歩十分の最寄りのバス停へと向かう。

眩しい光が差し込む中、早足で歩く。

冬の外気が少し冷たいけど、こうして天気の良い日はポカポカで、気持ちいい。

バス停まで来ると、やはりすでにホームズさんの姿があった。

壁に寄り掛かるように立って、小さな手帳を開いて何かを確認している。

「ホームズさん！」小走りで近寄ると、ホームズさんはにこりと微笑んだ。

「こんにちは、葵さん」

「待たせちゃいましたか？」

「いえ、そうでもないですよ」

「いつもお待たせしてすみません。早めに来たつもりなんですけど」

「いえいえ、約束の時間より早いですから。こっちでいいですか？」

「はい、こっちです。母が張り切って待ってます」

「なんだか、少し緊張しますね」

歩きながらそんなふうに言うホームズさんに、少し驚いた。

ホームズさんでも、緊張するんだ。

「やっぱり、いきなり『お礼』だなんて引きますよね」

「いいえ、引いてはいませんが、せっかくバイトを辞めなくて良くなったのに、僕と会ったことで、『あんな腹黒そうな人と一緒に働いているなんて』と思われたら困りますし」

真顔でそんなことを言うホームズさんに、思わず吹いてしまう。

「だ、大丈夫ですよ。ホームズさんは一見、全然腹黒く見えないですもん」

「いえいえ、同世代はさておき、大人の目は誤魔化せない部分も多いですからね。うちの祖父も父も上田さんも、みんな僕が腹黒だということは知ってますよ」

「それは付き合いが長いからであって、大抵の老若男女は騙せると思いますよ。自信持ってください。ホームズさんの外面(そとづら)はとても良いです。腹黒くは見えません」

力強く言うと、ホームズさんは複雑な表情を見せて、くすりと笑った。

「ありがとうございます……。でも、葵さん、地味にひどいです」

「ほ、本当ですね、失礼しました」

「いえいえ。僕はあなたのそういう正直なところ、とても安心します」

「安心ですか？」

「ええ、あなたははじめて会った時から、自分のすべてを僕にさらけだしてくれていましたから。そのせいか、僕もあなたに対しては、最初から壁を作らずにいられる気がします」

そういえば、ホームズさんはよく、『他の人には思っても言わない』といったことを私に言っていた。

私が最初にあんなみっともない姿を見せたから、ホームズさんも『こいつに取り繕っても仕方ない』と、心のどこかで思ったのかもしれない。

二人で他愛もない話をしながら歩く。

家が近付くにつれ、私も少しドキドキしてくることを感じた。

なんとなく互いに口数が少なくなってしまう。

「ご家族は皆さん揃っているんですか？」

ポツリと尋ねたホームズさんに、顔を上げた。

「祖母は敬老会で松葉ガニを食べる旅行に行ってて、父は会社の人とゴルフに行ってます」

「お祖母さんとお父さんはお留守なんですね」

「はい。――あ、あそこです」

何の変哲もない住宅街。所狭しと並ぶ家々の中、私の家はある。

「葵さんの家、大きいですね」

家を目にするなり言うホームズさんに、ゴホッとむせた。

「ど、どこがですか！」

「いえ、いつも、葵さんが『小さい小さい』と仰っているので」

「ち、小さいじゃないですか！　家頭邸に比べたら、ハムスターの家ですよ！」

「あそこは、家頭誠司の美術品展示場でもあるので、一般家庭とはまた違うというのか。

京都の家は本当に小さいものが多いんですけど、葵さんの家は大きいと思いますよ」

祖父母が建てた古い家ということもあり敷地内いっぱいに建っていて、庭も駐車場のみ。

そういう意味では、建ち並ぶ他の家より、若干大きめかもしれない。

とはいえ、やはりごく普通の住宅だ。

それでも『こんな小さくて古い家をホームズさんに見られるのは、ちょっと恥ずかしい』という気持ちが、少し緩和された気がした。

いそいそと玄関の扉に手をかけて、「た、ただいまー」と声を上げる。

すると、バタバタと家のあちこちから慌てたような音が響いた。

「お母さん、姉ちゃんが帰ってきたみたいだ！」

「わ、分かってるわよ」

二階から響く弟の声に、一階キッチンにいる母が答えている。

って、騒がしい、恥ずかしい！

横に立つホームズさんは、少し楽しそうにクスクスと笑っていた。

最初に顔を出したのは中学二年生の弟。

玄関を入ってすぐ横に階段があるので、弟が降りて来る姿がダイレクトに見える。

「あー、姉ちゃん、お帰りー」

なんて白々しく言ったあと、ホームズさんに視線を移して、ピタリと動きを止めた。

「はじめまして、家頭清貴と申します」

にこりと微笑んだホームズさんに、弟の顔がみるみる赤くなっていく。

「ま、真城睦月(むつき)です」

緊張に固まって、ぎこちなく言う弟・睦月。

そんな中、いそいそと母が姿を現した。

「まああ、はじめまして、こんにちは。葵の母です」

「はじめまして、家頭清貴と申します」

と頭を下げるホームズさんに、母も動きを止めた。

「ちょ、やだ、葵。こんなにカッコイイ人だなんて聞いてないわよ」

「だ、だよな！　俺もビックリした！　京大院生って言うから、すげークソまじめそうなのを想像してたのに！」

「本当ねぇ」

「も、もう、二人とも、落ち着いて。とりあえず、ホームズさん、どうぞ」

二人を窘めつつ、私も動揺から頬が熱い。

「お邪魔します」

家に上がり、スッとしゃがんで靴を端に揃える。

相変わらず流れるように優雅な仕草に、母と弟はハーッと息をついた。

って、二人とも見すぎ！

落ち着かない気持ちのまま、リビングに向かい、

「とりあえず座って、お茶にしましょうか」とソファーに座ることになった。

テーブルの上には、いつもは飾っていない花なんかあったりして。

「同じ下鴨のお店で申し訳ないんですが、僕の好きな洋菓子店の焼き菓子なので、もし良かったら、ご家族で召し上がってください」

腰を下ろす前に、ホームズさんは紙袋から菓子折りの箱を取り出し、両手で差し出した。

箱には『ラマルティーヌ』と仏語で書かれている。

「まぁ、ありがとうございます。ここはたしか、本通(ほんどおり)にあるお洒落な洋菓子屋さんよね、気になりつつ行ったことがなかったから嬉しいわ。私も葵から、先生がバイカルのアップルパイが好きだと聞いてこれを……」

母はそう言って、テーブルにアップルパイが乗った皿を並べた。

「ありがとうございます。バイカルのアップルパイは大好きです。ですがあの、『先生』はやめていただけますか。『清貴』と呼んでいただけると」

「あら、ごめんなさい、つい。『清貴くん』ね。そしてこれも買ってきたの。もしかした

ら喜んでもらえるかしらって」

母はそう言ってテーブルの上に、豆大福を出した。

喜ぶって、豆大福？

拍子抜けしつつ隣に立つホームズさんをチラリと見ると、大きく目を開いていた。

「これは『出町ふたば』の豆餅ですね！」

「そうなの、出町商店街の」

へっ？

「とっても嬉しいです、わざわざ並んでくださったんですか？　ありがとうございます」

「そうなの、いつもすごい行列よね」

「今日は何列でしたか？」

「私が行った時は、ラッキーなことに二列しか並んでなかったけど、その後に、たちまち三列になってて」

「行楽時は四列にもなりますよね。本当に出町ふたばの豆餅は絶品ですよね」

「まあ、良かった。市民こそ喜ぶって、近所のお友達に聞いて」

「ええ、もう、大好きです。あ、勿論アップルパイも大好きですが」

と、異様に盛り上がる母とホームズさん。

母が買って来た豆大福は、豆大福ならぬ『豆餅』というらしい。

出町商店街で売られているもので、京都ではとても人気のある和菓子だそうだ。

そうして、挨拶もそこそこに、私たちはお茶タイムとなった。

「――あ、本当にこの豆餅、美味しい」

「餅が柔らかくて、豆がホクホクしていて餡が上品な甘さですよね。いや、嬉しいですね、豆餅を食べられるなんて」

「姉ちゃん、ここのクッキー、すげー美味い！」

「アップルパイも美味しいですね。久々に食べられて嬉しいです」

なんていうか、お菓子のおかげで、場がものすごく打ち解けた。

京都のお菓子、恐るべし（って、違うか）。

「清貴くんが来るって話を聞いてから、清貴くんの『ホームズ』武勇伝をいろいろ聞いたのよ」

紅茶のおかわりを淹れながら言う母に、ホームズさんは「え？」と目を開いた。

「武勇伝、ですか？」

すると続いて弟が強く頷いた。

「仁和寺で茶碗を鑑定してマンガ家の遺品の謎を解いた話とか、鞍馬山荘で掛け軸の謎を解いた話とか！」

「そうそう、お祖父さんの誕生日会で骨董品が割れて、その犯人を暴いた話とか」

「あとあと、市片喜助の女タラシ事件とか！」

「本当にすごいのねぇ」嬉々として話す母と弟。

そ、そうなのだ。バイト先のことを話したあと、ホームズさんが『ホームズ』と呼ばれている由来を、より突っ込んで尋ねられたことから、ついペラペラと。

というか、この二人が『それで、それで』と聞きたがるから、話してしまったというか。

「いえいえ、それは本当に、たまたまなんですよ」

なにが『たまたま』だというのか、そんなふうに言って笑うホームズさん。

「もし、私も事件に巻き込まれたら、相談してもいいかしら」

「俺も俺も」

そんなふうに言う二人に、お茶を吹きそうになった。

「もう、二人とも！　そんなに簡単に事件に巻き込まれたりしないから」

「あら、分からないじゃない。今まで起こった事件だって、殺人事件とかではないんだし」

「うんうん、ちょっとした事件なら、どこでだって起こるよな」

なんて言う母と弟に、ホームズさんはにこりと笑った。

「お役に立てるかどうかは分かりませんが、僕でよろしければ」

「――ッ！」

まるで後光が差しているかのような微笑みに、頬を赤らめて絶句する母と弟。

なんていうか、さすがだ。

杞憂でしたね、ホームズさん。

その笑顔と雰囲気から、腹黒さなんて微塵も感じられませんよ、と心で呟く。

その後、母がホームズさんに謝礼を渡そうとして、ホームズさんがそれを断ってという押し問答のようなことを繰り返したあと、とりあえず、私の部屋に向かうこととなった。

「ホームズさん、母がしつこくてすみません。ここが私の部屋です」

階段を上り、二階の突き当たりにある部屋の扉を開けた。

そこは六畳ほどの部屋で、ベッドに机とチェスト、本棚。小さなテーブルと座布団にしているクッションがある。古めかしい押し入れなんかがあって、そこには可愛い暖簾をつけて誤魔化しつつ、クローゼットにしてしまっている。

ライトグリーンのカーペットに同じ色のベッドカバー。黄色のカーテン。

ホームズさんが来る前に、一生懸命掃除したんだけど、何せ築ウン十年の家。

天井とか壁とか、どうにも隠しきれない古めかしさがあって少し恥ずかしい。

「とても明るい色合いで素敵ですね」

「あ、ありがとうございます。今、飲み物を持って来るので座っていてください」

「いえ、たくさん飲んだので大丈夫ですよ」

ホームズさんは用意していた座布団クッションの上に腰を下ろし、その背をベッドにもたせかけるように座った。

「あ、そうですか？」そうか、今まで茶菓子タイムだったものね、と、足を止めたその時、ホームズさんは額に手を当てて、ハーッと深い息をついた。

「ど、どうしました？　母のお礼攻撃がしつこくて疲れちゃいましたか？」

「いいえ、やっぱり緊張していたので」

「え、ええ？」そうは見えなかった。

「大丈夫でしたか？　いろいろバレてないでしょうか？」

「だ、大丈夫です、とっても爽やかでしたよ、さすがです！」

グッと拳を握りしめた私に、ホームズさんはプッと笑った。

「おおきに、そんなら良かったわ」

屈託のない笑顔を見せるホームズさんに、不意を突かれてドキンと心臓が音を立てた。

「……少し落ち着きました」

ホームズさんは深呼吸をして、改めて、という様子で部屋を見回した。

「それにしても、『実家暮らしの女の子の部屋』というのは、『一人暮らしの女性の部屋』ともまた違っていて、なんだか新鮮というか、懐かしい感じがしますね」

「はぁ、女性の一人暮らしの部屋には、よく行かれるんですね？」

「あ、いえ、その、二人きりというわけではなくて、大学の仲間内で」

慌てたように言うホームズさんに、思わず笑ってしまう。私が『彼女がいないと言いながら、女性の一人暮らしの部屋に行くなんてサイテー』とでも言うと、思ったのだろうか？

「いえ、そんな、ホームズさんは大人ですし、女性の一人暮らしの部屋くらい行かれるでしょう。そんな慌てなくても」

クスクス笑ってそう言うと、ホームズさんは複雑な表情で肩をすくめた。

「あと、『懐かしい』っていうのは、和泉さんの部屋を思い出しました？」

「……いえ、そういうわけでは。和泉の部屋には入ったことなかったですし」

「えっ、入ったことなかったんですか？」

「ええ、家に行ったことはあるんですが、リビングや応接室でお茶を飲んでいました。彼女の家は、ご両親がとても厳しくて、『まだ高校生なのに、異性と部屋に二人きりになるのは好ましくない』という感じだったんですよ」

「そ、そうだったんですか。それは残念でしたね」

「そうですね。ですが、あの頃の僕は、彼女に対して全力でカッコつけていたので、『ご両親の言う通りやと思う。リビングでお茶にしよう』なんて、心にもないことを爽やかに言ってみせたりしていましたよ」

その言葉に吹き出してしまった。

「そうだったんですね。それにしても、全力でカッコつけてたって。今はもう全力でカッコつけたりしないんですか？」

「全力でカッコつけ続けた結果、思い切りフラれましたからねぇ」

ふふっ、と笑うホームズさんに、急に申し訳なくなって身を縮めた。

「ご、ごめんなさい」

「いえいえ、そうだ。彼女の家はここからそれほど遠くはないんですよ。松ヶ崎でしたから」

「ああ、松ヶ崎だったんですね、たしかに遠くはないですね」

とはいえ近いというわけでもないけれど。松ヶ崎は、ここ下鴨よりもさらに北で、岡崎や衣笠、白川に続いて高級住宅地というイメージもある（ちなみに我が家はさておき、この下鴨も高級住宅地と言われている）。

親も厳しかったという話だし、和泉さんはお金持ちのお嬢さんだったのかもしれない。

「でも、不思議ですね。そんな厳しい家だったのに……」

和泉さんは大学に入った途端、合コンで知り合った軟派な男に揺れて、すべてを奪われてしまうなんて。

そこまでは言葉に出来ずに、口をつぐむと、

「……まぁ、だからこそ、抑圧されていたものが大きかったんでしょうね。両親に加えて、

彼氏である僕までお堅かったわけですから、息が詰まっていたのかもしれません。今にしてみれば、仕方なかったようにも思えます」

「でも、鋭いホームズさんは、私の考えていたことを察したようで、冷静にそう続けた。

「でも、鋭いホームズさんなら、そうしたところまで読み取って、フォローしていけそうなものなのに……」

解せなさに眉根を寄せると、ホームズさんは小さく笑った。

「ああ、葵さん。僕はわりと敏い方ではありますが、『恋愛感情』が絡むと、途端にすべてが駄目になるんですよ」

「すべてが駄目になるって、どういうことですか？」

「『感情』や『期待』が入ってしまうので、どうしても、冷静な判断や分析ができなくなってしまうんですよね。普段のままの自分でいられたら、もう少し上手くやれたとは、自分でも思っています」

「は、はぁ……」これは、意外だった。

とはいえ、人は誰しも自分のことになると駄目になるとは、よく言ったものだ。

どんなに性能の良いコンピューターでも、甘いシロップをかけてしまったら壊れてしまうのと同じなのかもしれない。

この鋭い人がどうして、と何度か思ったことがあるけれど、そういうわけで和泉さんの時に失敗してしまったのだろう。

ようやく納得して頷いていると、

「和泉に限らず、以前にも、ある女性の言動から、『この子は僕のことが好きなんだろう』と思っていたんですが、どうやら違っていた、ということもありましたし」

ホームズさんはそう言って、肩を上下させた。

「ホ、ホームズさんでもそんなことがあるんですね。でも、どうして『違っていた』ということが分かったんですか？」

「……周囲の人たちに、その子と僕がカップルだと勘違いされたことがあったんです。その時に彼女は、心底困ったというか、とても迷惑そうに強く反論しまして」

「あ、ああ……。それは、残念ですが違いましたね」

好きな人と勘違いされたら、女の子なら喜びそうなものだ。

「ええ、ただの自惚れだったようです。残念でした」

苦笑するホームズさんに、私は何も言えずに相槌をうった。

本当に意外だ。ホームズさんでも、そんなことがあるんだ。

「でも、『残念でした』って、ホームズさんはその時、恋愛する気になれたってことですか？」

ふと思って視線を合わせると、ホームズさんはスッと目をそらした。

「……どうでしょう」

複雑な表情を見せるホームズさんを前に、私はどうしてかその気持ちに共感できた。

私も香織に『恋愛する気になったのか』と問われたりすると、答えられず、弱ったような気持ちになってしまうから。

川の向こうに花畑が見えていて、本当は飛び込んでいきたいのに、川で溺れ苦しんだことがあるから、『花畑に行きたい』とも言えなくなっている気分というか。

「……牽制するたびに、思いもしない言葉を返されて、困惑しっぱなしです……」

惚けているとホームズさんがポツリと小さな声で呟いた。

私は我に返って、「えっ？」と聞き返すと、ホームズさんは力のない笑みを浮かべた。

「……いえ、結局、男にとって、女心は難しいということですね」

「はあ……」

どんなに鋭い人でも、恋愛感情――、男女の仲となるとままならないのが、世の常なのかもしれない。

「――そうだ、葵さん。お祖父様のコレクションを拝見してもよろしいですか？」

ホームズさんは思い出したように、顔を上げた。

「あ、はい。一階なんですけど、今見ますか？」

「ええ」と、立ち上がる。

こっちです、と部屋を出て一階に向かった。

　すると、睦月がすぐに顔を出す。

「姉ちゃん、出掛けるの？」

　どうやら、私たちのことが気になって仕方がない様子だ。

「ううん、お祖父ちゃんのコレクションを識てもらうの」

　そう言って一階の和室に入った。

　棚には壺や茶碗、そして掛け軸が、忍者の巻物のようにズラリと並んでいる。

「納戸にも、桐箱に入ったあれこれがあるんですよね」

と、納戸を開けると、たくさんの箱が詰め込まれていた。

「なるほど、本当に古美術がお好きな方だったんですね。改めて拝見しても良いですか？」

「ええ、お願いします」

「では」ホームズさんは手早く内ポケットから白い手袋を取り出し、茶碗や皿を丁寧にひとつひとつ識ていく。その姿は、とても楽しそうだ。

「これ、お祖父ちゃんが特に大事にしていた掛け軸です。北斎のサインが入っていると、いつも自慢していたんですが……」

　私も手袋をした手で、棚から掛け軸を取り出して広げて見せた。

　美しい富士の姿。まさに北斎という作品だ。

「――ああ、これは北斎の弟子の作品ですね」

掛け軸を確認しながら、シミジミとそう言う。

「弟子が師匠のサインをするんですか？」

不思議に思って尋ねた私に、ホームズさんは「ええ」と頷いた。

「北斎は何度も画号、つまり筆名を変えて弟子に譲ったりもしています。浮世絵というのは、師匠の模倣からスタートしていくので、とても画風が似ているんです。そんなことから、北斎のサインが入った弟子の作品というのが当たり前のように存在するわけです」

「つまりこれは、画号を継いだ弟子の作品なんですね。なんだか紛らわしいですよね」

「そうなんですよ。前にも話しましたが、浮世絵は、彫師、摺師、和紙職人なども絡んできますから、鑑定がもっとも難しいともいわれています。難しさを語るのに有名な話には、『春峰庵事件』ですかね」

残念そうに目を伏せるホームズさんに、「しゅんぽうあん事件？」と、私は首を傾げた。

「昭和九年に、写楽や北斎の肉筆画が見つかったと大変なニュースになりました。これも前に話しましたが、『肉筆画』というのは版画ではなく、絵師が描いた一点もので、今では価値がまるで違います。

特に写楽の肉筆画は大震災ですべて灰になったと、それまでは言われていたんですが、とある大名華族の家から、『春峰庵』と号されて出てきたというわけです。

その時に、『笹川臨風』博士という高名な鑑定士が『本物』と鑑定し、世紀の大発見と言われ、今の金額にすると何億もの価値に値すると騒がれました。

しかし、後日、それはあるよからぬグループが画策して作った贋作であったことが、判明したんです。これによって博士の地位は地に落ちました。世間は博士の鑑定が甘かったと厳しい目を向けたんですが、鑑定界にいる人間にとっては、『明日は我が身』と背筋が寒くなる出来事だったそうです。そのくらい浮世絵の鑑定は難しく、権威ある美術館所有の北斎でさえ、後に偽物と判明して取り外されたことがあるほどでして」

私は「へぇ」と頷いた。

「そんな浮世絵肉筆画の真贋を判定する上での基準は、落款、来歴、画風の三つがポイントになります。落款とは、画面に記された署名と印章です。つまりはサインですね。

来歴は作品の由来であり、出所です。見た目ではなく、どこで扱われていたかで本物かどうかを判断する。春峰庵事件においては大名華族の家から出てきたというのが、判断の基準に大きく左右したものと思われます。そしてようやく画風となるわけです。しかし弟子たちが師匠の元でこぞって模倣をし、師匠も認めていくわけで。北斎に至っては画号すら譲っているわけです」

「た、たしかにそう聞くと、浮世絵は本当に難しいジャンルなんですね」

「はい。ですが、これは間違いなく北斎の弟子の作品です。復刻版ですから価値としては一万前後といったところかと」

掛け軸を手ににこりと微笑んだホームズさんに、私は、うんうん、と頷いた。

「これが弟子の作品だったのは残念ですけど、良い話が聞けて良かったです。特に写楽の話は興味深かったです。それじゃあ、写楽の肉筆画はもうこの世にはないんですか？」

「それが、二〇〇八年にギリシャのコルフ島で、扇に描かれた東洲斎写楽の肉筆画が見つかって、世紀の大ニュースとなったんですよ」

「え、ええ？　どうして写楽の肉筆画が、ギリシャで発見されるんですか？」

「ギリシャの大使が、十九世紀から二十世紀初頭に全財産をかけてアジアの美術品を収集し、そのコレクションを小島に所蔵していたそうなんです。約一世紀もの間、ほとんど人の目に触れることがなく、それが近年になって発見されたんです。写楽だけではなく貴重な美術品がたくさん発見されまして、このニュースには祖父も僕も大興奮でしたよ」

またも興味深い話に、私は強く相槌をうった。

「また、この発見によって、謎の絵師といわれていた写楽の秘密が、明らかになってきたんですよね」

「写楽って『謎の絵師』なんですか？」

「ええ、写楽は江戸時代に突然現れて、画期的な浮世絵を大量に発表しながら、たった、十か月で忽然と姿を消し、その正体は不明といわれていたんですよ」

「ミステリアスですねぇ」と頷きながら、掛け軸を棚の奥に片付けていると、掛け軸のひとつが隠されるように仕舞われていることに気が付いた。

「あっ、この奥にもありました」

手を伸ばして、奥から取り出す。

「これも、きっとニセモノなんでしょうねぇ」

「いえいえ、それは識てみなければ分かりませんし。あらためさせていただきますね」

と、ホームズさんはその掛け軸を確認し、パチリと目を開いた。

「――これはこれは……。葵さんは見ない方がいいかと」

その言葉に私も「えっ？」と振り返って、絶句してしまった。

その掛け軸は、あまりに卑猥な……いわゆる『春画』というものだ。

「や、やだ、お祖父ちゃんったら、こんなものを！」

だから隠していたのか、と恥ずかしさに顔を上げられない。

「まぁ、これも『芸術』ですし、過去の文化を知る手掛かりですから。これは歌麿ですね」

「こ、これも、弟子ですか？」

目をそらしながら尋ねる。

「これは、歌麿本人の写しです。蔦屋重三郎がプロデュースした作品かと」

そう言いながら、ホームズさんは春画の掛け軸を丁寧に巻いた。

もう見えなくなった春画に、心からホッとしながら、

「蔦屋重三郎って？」と気を取り直して尋ねる。

「江戸時代の商人ですよ。小さな書店からスタートして、たった十年で江戸でも指折りの版元に成長させた、かなりの商才の持ち主なんです」

そう話すホームズさんに、私は「へぇ」と強く相槌をうった。

「すごい人だったんですね」

「そうですね。時代の先を行く、斬新なアイデアを持った方だったといえますね」

「斬新なアイデア……って、どんな感じですか？」

「たとえば、そうですね。蔦屋は、遊郭のガイドブックを作ったりしたんです」

「遊郭のガイドブックですか？」

「ええ、店ごとに遊女の名を記した案内書が大ウケしたそうですよ」

それは、つまり、今でいうところの風俗情報誌というものなんだろう。

「そ、それは、すごいですね。その時代に……」

「ええ、なかなか斬新でしょう？　江戸で狂歌が流行れば、狂歌本を作ったりと流行にも敏感でした。あと素晴らしいのは、投資というか、才能ある若い絵師を自分の家に寄宿させて、育成にお金をかけたりしまして。それによって、歌麿や写楽と、たくさんの素晴らしい絵師が成長して、世に出ていったわけです」

「へ、へぇえ」感心のあまり、間抜けな声が洩れてしまう。

お金をかけて人を育てて、彼らが自分に利益をもたらしてくれるようになったわけだ。ハズレれば赤字なんだけど、それをいとわなかった豪快さもあったに違いない。

確かにすごい人だ。

「商才で言えば、この春画にしてもそうです。女性は着物を全部脱いでいないんですが」

と、ホームズさんは先ほど巻いた掛け軸の上に、そっと手に乗せた。

私は弱りながらも、なんとなく頷いた。

さっきチラリと目にしてしまった感じでは、女性は全部脱いでなくて、着物がはだけていたり、めくれている感じだった。

「実は呉服屋とタイアップしているんですよ。だから春画では着物を着たままの絵が多いわけです」

それには驚いて瞬き、「そ、そうだったんですか！」思わず大きな声を上げてしまった。

言われてみれば、今までチラ見してきた『春画』は、どれも着物を着たままだった。

呉服屋とタイアップだなんて、そんな目論（もくろ）みがあったとは！

男性が同じ着物を女性に贈ったりすることを狙ってのことだったわけだ。

「なかなかのあざとさでしょう？」と、笑みを見せるホームズさんに強く頷いた。

ちなみにホームズさんにとって、『あざとい』は誉め言葉だったりする。

「そうそう、先ほどの写楽の話ですが、その正体は誰なのかと推理されていまして、北斎の画号のひとつだったのではないか、といわれていたり、もしくは能役者だったのではないか、あと版元である蔦屋本人だったのでは、なんて説もあったんですよ」

「なんと、版元の蔦屋さん本人説もあったんですね」

「ええ、ですが、今のところどうやら能役者説が有力のようですね。当時、能役者は武士の位と一緒で副業禁止だったことから、こっそり活動していたのではないかという話です。蔦屋はあくまでプロデューサーだったようです」

「つまり、絵の上手い能役者さんを、蔦屋さんが『写楽』としてプロデュースした、ということですか？」

「おそらくそうではないかと」

「本当にやり手な方だったんですね」

「ええ、蔦屋はあの当時、江戸で一番の目利きで、商売上手だったのではないかと思っています。そうそう、上田さんは蔦屋を尊敬していまして、それで浮世絵が好きなわけです」

ホームズさんはそう言って、掛け軸を箱の中に入れた。

「なるほど、上田さんが浮世絵を好きなのは、蔦屋さんを尊敬してのことだったんですね」

なんだか、強く納得してしまった。

その後も、部屋にある祖父のコレクションをチェックし、

「――どれも悪い物ではないんですが、古美術的に価値があるという物ではないですね」

と言うホームズさんに、私は小さく頷いた。

「やっぱりそうでしたか」

私も『蔵』で少しは目を鍛えた身。

家のコレクションに、それほどの価値がないことをうっすらと感じていた。

「そう思うと、改めて葵さんはすごいですね」

「――えっ？」

「これらの中から、白隠禅師の掛け軸を選んで持ってきたのですから。やはり、あなたは良い目をもっていますね」

コレクションを丁寧に片付けながら、シミジミと告げるホームズさんに頬が熱くなった。

「そ、そんな、まぐれですよ。そうだ、ホームズさん、そろそろ上田さんのところに行かなきゃですね」

壁の時計を確認しながら言うと、ホームズさんは「ええ」と頷いて立ち上がった。

4

母と弟から熱烈な見送りを受けながら、私とホームズさんは家を出た。

そのまま、北山通へと向かう。

徒歩であれば、うちから二十分くらいだろうか？

公共交通機関を使った方が早いけれど、たくさんお菓子を食べたことだし、と私たちは歩いて向かうことにした。

「街路樹はすっかり葉が落ちてしまいましたが。植物園の木々はまだ紅葉していますね」

北山駅近くまできて、ホームズさんは空を仰ぐように駅隣の京都府立植物園を眺めた。

その言葉につられて、私も植物園の方に目を向ける。

ここからでも、たくさんの木々が紅葉している様子が見えた。

「本当ですね」

「葵さんは、植物園にはよく行かれるんですか？　家から近いですし」

歩きながら尋ねるホームズさんに、首を振った。

「いえ、一度も行ったことがないです」

「――えっ？」目を見開き、露骨に驚いた様子を見せるホームズさんに少し戸惑った。

「あ、その、変ですかね？」

「変っていうかもったいないですよ。近所にこんな素晴らしい植物園があるのに行かないなんて。二十四ヘクタールという広大な敷地に四季折々のさまざまな植物。素晴らしい花壇や洋風庭園、熱帯植物を集めた温室と充実した設備で、入園料はたったの二百円ですよ。

ああ、高校生の葵さんは百五十円で入れたはずです。散歩するのもいいですし、何か考え事をする時、ちょっと気晴らしに素晴らしい場所です。ついでに言うと、年間パスポートはたったの千円ですから、僕なんて毎年年間パスポートを買っているくらいです」

財布から年間パスポートを取り出して見せながら力強く言うホームズさんに、相変わらずだ、と頬が引きつる。

……京都の町や美術品を背負っていると思ってたけど、こうした施設にも興味が及んでいるわけだ（思えば、ホームズさんは花も好きだものね）。

入館料二百円（私は百五十円）、年間パスポート千円はたしかに安い。

花々を見ながら散歩も悪くないだろうし、二十四ヘクタールもあれば、良い運動にもなるにちがいない。

「そもそも、二十四ヘクタールって、どのくらいの大きさなんですか？　ピンとこなくて」

「そうですね、よくいう『東京ドーム』で表すと、五個分くらいでしょうか？」

「実は東京ドームで言われても、よく分からなくて。坪で言うとどのくらいですか？」

「七万二千坪ですね」

「ななまんにせん……」駄目だ、やっぱり分からない。

「これはもう、ご自分の足で確かめてみるのが一番でしょう」

くすりと笑うホームズさんに、「ごもっともです」と肩をすくめた。

「それはさておき、この辺りは抜群に環境が良いですよね」

ホームズさんは足を止めて振り返った。

広大な植物園に、その近くにはコンサートホール。

北山通は街路樹に囲まれ、洋風でお洒落なカフェやレストラン、雑貨屋に教会、結婚式場が建ち並び、『モダンでファッショナブルなストリート』なんて称されているほど。

北山通は良い意味で、京都らしくない。

ここだけ切り取った光景は、神戸と言われても頷けるかもしれない。

「上田さんのカフェは植物園から見て、道路を挟んで斜め向かい辺りにあるそうなんです」

横断歩道を渡りながらホームズさんは話す。

「植物園の斜め向かいって、とても良い場所ですよね？」

「ええ、さすがですよね。ああ、あそこですね」

飲食店が並ぶ中、開店準備中のカフェが一軒。

白い外壁に『la cafe 北山』というお洒落な看板。

大きな窓から店内がよく見えた。

「――すごい。これは流行りそうですね」

店内では、上田さんがスタッフに何か指示をしている姿が見える。

その表情はとても真剣で、緊迫感があって、『蔵』で笑っている彼とは別人のようだ。

「ああ、さすが、揃えたスタッフたちは、みなさん『イケメン』ですね」

本当に、見目麗しい若い男性ばかりだった。

「本当だ。よく集めましたね」

「ええ、上田さんは有言実行しますからね。顔も広いですし、鼻も利きますし、やっぱり仕事ができるんです。ただ、古美術に関する目が利かないのが、残念なところで」

誉めておいて最後に落としたホームズさんに、プッと笑ってしまった。

「こんにちは、上田さん」

カランとドアを開けて挨拶すると、

「おー、来たか、ホームズに葵ちゃん」

いつもの笑顔を見せてくれる上田さんに、少しホッとする。

「どうや、この店」

胸を張って尋ねる上田さんに、私たちは「いいですね」と頷いた。

光が入る明るい店内に、木のテーブル、お洒落な黒板に観葉植物、オープンキッチン。

清潔感に透明感があって、とても素敵だ。

「店のロケーションは勿論、雰囲気もいいですね。あとは味でしょうか」

「よっしゃ、味見したってや。スイーツプレート二人前頼むわ」

と、上田さんはスタッフに向かって声を上げた。

「さっ、座ってな、二人とも」

戸惑う間もなく、座らされる私たち。

「――座り心地がいいですね」

ホームズさんは、確認するように足を組んだ。

「せやねん。スムーズに足を組めるテーブルと椅子の間隔って、大事やろ？　俺がいつい『蔵』に行きたなんのは、あの座り心地の良い椅子とコーヒーのせいやねん。それを倣（なら）ったんやで」

「なるほど」

そんな二人の会話を感心しながら聞いていると、やがて届いた、スイーツプレート。

数種のケーキにフルーツにアイスクリームと、一口サイズのスイーツがプレートの上に綺麗に飾られている。

家でたくさんお菓子を食べてきたから、食べられるか心配だったけれど、一口食べて、その心配は無用だったことが分かった。

「す、すごく、美味しいです。一口ずついろんな味を楽しめるのがいいですね」

「コーヒーもなかなか美味しいですね」

「せやろ。飲み物とセットで、八百円やねん。コーヒーは一杯までおかわりできる」

「……価格は、まぁまぁというところでしょうか。相場もそんなものでしょうしね」

心から納得はしていない様子で、そう呟くホームズさん。

「ただな、学割をすることにしてん。学生さんは二百円引きや。つまり学生さんは六百円で、このセットが食べられる。ええやろ」

その言葉に、ホームズさんは強く頷いた。

「学割はいいですね。この辺りはダム女(じょ)に府大とありますし、学生の口コミから、リピーターが続出するでしょう。素晴らしいです」

「よっしゃ、お前の口から『素晴らしい』をもらったら心強いわ、これで安心や！」

パンッと手を叩く上田さん。その顔は心底嬉しそうだ。

他のスタッフたちが、『どうして、あの厳しいオーナーが、あんな若い男の子の意見ひとつで、そんなに喜んでいるんだろう？』と不思議そうに首を傾けている様子が見えて、ついにやけてしまう。

「ところで、ホームズさん、『ダム女』ってなんのことですか？」

ダム好きの女性が集まる場所でも、あるんだろうか。

真剣に尋ねた私に、ホームズさんと上田さんは瞬いたあと、プッと笑った。

「えっ？」どうして笑うんだろう？

「失礼いたしました。関西人には当たり前のことでも、通じないことってまだあるんですよね」

「せやな、ダム女とは、京都ノートルダム女子大学の略やで」と、続ける上田さん。

「そ、そうだったんですか」

「ちなみに同志社女子大のことを『同女(どうじょ)』、京都女子大のことを『京女(きょうじょ)』とも略してます」

「どこもイメージ抜群の人気の女子大やで」

「大学は知っていますが、その略し方は知らなかったです」

ノートルダムと聞くと、素敵なイメージがあるというのに、『ダム女』となると、ダムが好きな人みたいな感じがして、余所者の私としてはどうかと思ってしまう。

その時、店の扉がゆっくりと開いて、若い女性が入ってきた。

このカフェはまだ、準備中だけど、誰か勘違いしたのだろうか。

「おー、来たか、元ダム女の和泉ちゃん」

立ち上がる上田さんに、私とホームズさんは驚いて振り返った。

そこには、薄いピンクのハーフコートに膝丈のスカートを着た女性・和泉さんが、怯えるような佇まいでこちらを見ていた。

色白の肌に、華奢な体付き、緩やかなカールのセミロング。ぱっちりとした愛らしい瞳が印象的な、やはりとても綺麗な人だ。

「き、清貴くん」

おずおずと、遠慮がちにそう告げる。

ホームズさんは何も言わずに、上田さんを一瞥(いちべつ)した。

『これは一体どういうことですか？』と、目で尋ねているのが分かる。

「この前、偶然店の前で会うてな。そしたら、この子が泣いとって。さらっとやけど話を聞いたら、これはホームズに解決させるしかないやろと思ってん」

あっさりそんなことを言う。

ホームズさんは、やれやれ、という様子で息をついた。

「――お久しぶりですね」

ホームズさんは気を取り直したようで、完璧とも思える笑みを彼女に向けた。

和泉さんは、上田さんに勧められるままホームズさんの対面に腰を掛けたものの、目を合わせられずに俯いている。

「ほ、ほんまに」

「何かあったのでしょうか」

優しく尋ねるホームズさんに、なんだか私の方がハラハラしてしまう。

「あ、あのね……私の、一生の問題なんやけど」

その言葉に、ホームズさんは眉根を寄せた。

「一生の問題ですか」

「清貴くんに、暴いてもらうことができたら思うて……」

「暴く？　……何をですか？」

和泉さんは黙り込んだかと思うと、しっかりと顔を上げてホームズさんを見据えた。

「アリバイ……」

「アリバイ？」私とホームズさんの声が揃う。

「そう、アリバイを崩してほしいんやけど」

そう言って強い眼差しを向ける和泉さんに、私たちは思わず顔を見合わせた。

「アリバイ……ですか」

さすがに意外だったのだろう。

ホームズさんはポカンとした様子で、和泉さんを見詰め返した。

本当に、まさか、『アリバイ崩し』だなんて。

「な、何か事件に巻き込まれたんですか？」

思わず口を挟んだ私に、和泉さんは慌てたように「いえ」と首を振った。

「事件とか物騒な話やないんです。私の婚約者の浮気の証拠をつかみたいだけなんです」

和泉さんはギュッと拳を握りしめて、下唇を噛んだ。

「……それは、例の彼、ですよね？」と、ホームズさんは確認するように尋ねる。

そう、かつてホームズさんと付き合っていた和泉さんは、大学生になるなり、合コンで知り合った男性と深い仲になってしまい、ホームズさんと別れて、その人と交際を始めた。

その彼と結婚まで話が進んでいたものの、浮気性であることから、悩んで揺れていたことは知っている。

「――実は、あの時の彼とは結婚の手前までいったものの結局破談になったの。親と揉めてしまって。それで私の父はとても憤慨というか、動揺して……。

『お前は男を見る目がない。これ以上悪い虫がつかないうちにいい相手を』って、勝手に相手を見付けてきて。ほぼ、強引に見合いを……。

私は不本意やったけど、両親を心配させたり恥をかかせた負い目もあったし、虚勢を張りながらも、前の彼のことで疲れ切ってて、『もうどうでもいい』って気持ちで、お見合いすることにしたんやけど……、そうしたら、その相手は会社を経営しているからか堂々としていて、背も高うて、とてもスマートで男らしくて、その……」

和泉さんはそこまで言って、頬を赤らめた。

「魅力的な男性だったんですね」

そう続けたホームズさんに、和泉さんはこくりと頷いた。

「それで、お引き受けしても良いかな、という気持ちになって……」

「良かったですね」

「お、おおきに」

優しい笑みを返すホームズさんに、私の方が複雑な気持ちになってしまう。

かつて自分を裏切った元彼女のこんな報告をホームズさんはどう思って聞いているんだろう？　終わった話だからと割り切っているんだろうか？

もう、上田さんも、無神経だなぁ。

上田さんを横目で見ると、彼は素知らぬ顔でコーヒーを飲んでいる。

さらに続けた和泉さんの話は、こうだった。

半月前、身内や知人だけを集めて、『婚約パーティ』を松ヶ崎の実家で開いたそうだ。

それは正式なものではなく、彼を紹介することが目的の宴会のようなものだった。

パーティは夕方から深夜まで続き……。

「その夜、彼はうちの客間に泊まったんです」と話す和泉さんに、私たちは相槌をうった。

問題は、婚約パーティから五日後に起こった。

市内のオフィスビルの受付嬢をしている和泉さんの元に、見知らぬ女性が訪ねてきたそうだ。

「……『彼のことで話したいことがある』というから、休憩時間その女性とお話をしました。そうしたら、彼女は彼と長く交際していたって。だけど、私との縁談がきたことで、別れを告げられた言わはるんです」

奥歯を噛みしめながら言う彼女に、上田さんは腕を組んで「うーん」と唸った。

「それって、『女関係を整理した』ってことやろ？　おもろくないのは分かるけど、ええんちゃう?」

和泉さんは、上田さんに視線を移し、そっと頷いた。

「はい。勿論、面白くはないですが、過去のことなら問題ないんです。でも、彼女はこう言わはったんです」

和泉さんは息を吸い込んで、その時のことを説明した。

彼女は挑発的にこう言ってきたそうだ。

『だけど彼は、本当は私の方が大切なのよ。あなたとの婚約パーティの日、偶然にも私の誕生日で、どうしても最後に会いたいと言ったら、会いにきてくれて強く抱いてくれたの。九時くらいだったかしら。最後に良い思い出を作れたから、いいとするわ。愛のない結婚生活、がんばってくださいね』

和泉さんは頭が真っ白になり、何一つ言い返すことができなかったそうだ。

その後、彼に問いただしたら、こんな言葉が返ってきた。

『彼女は仕事で関わったことのある女性で、それだけです。付きまとわれて困っていたんですよ。妄想もそこまでくると恐ろしいですよね。大体、婚約パーティの日はずっとあなたと一緒にいたではありませんか』

切々と話す和泉さんに、私たちは何も言えずに、眉根を寄せた。

「でも、私の中で何かピンとくるものがあったんです。あの女が言っていたことは本当に違いないって」和泉さんは、強く拳を握りしめた。

というのも、パーティの時に夕方から飲んでいた彼は、『ちょっと頭が痛くなりました。少しだけ横になるので、一時間後に起こしてください』と、使用人に告げて、一階奥の応接室に鍵をかけて籠ったそうだ。

「……そうして一時間後に、再び彼は広間に戻ってきはりました。それがハッキリと時計を見たわけではないんですが、彼女の言っていたのと辻褄が合うんです」

つまり、彼女が言っていた二十一時頃、彼は姿を消していたということだ。

「……応接室というのは、あの庭に通じている部屋ですか？」

確認するように尋ねたホームズさんに、和泉さんは無言で頷いた。

「なるほど、そこからサッと抜け出して会いに行って、一時間でコトを済ましたわけや。バタバタやな」

苦笑する上田さんに、「本当ですね」と頷くホームズさん。

「ですが、このことを彼に言うと、彼は笑って、『仕事の関係で彼女を家まで送ったことがあるんですが、彼女の自宅は桃山にあるんですよ？　どうやっても一時間では帰って来られません』って言わはって……」と和泉さんは、沈痛の表情で目を伏せた。

彼の言葉が信じられなかった和泉さんは、その後、彼女の自宅を調べたら、本当に桃山であることを確認した。

「それでも信じられなくて、知人に頼んで彼女の会社に同僚に聞いてもらったら、『本当に彼と交際していたようだ』と証言した人も出てきてんです。もう、浮気男は嫌だと思って、父の言う相手とお見合いしたのに……婚約パーティの日に抜け出して、他の人のところに行って関係を持った人となんて、結婚したない。松ヶ崎から桃山まで一時間で行って帰ってこられる方法があると思うの。お願い、清貴くん、それを証明して、彼のこのアリバイを崩してもらえへん？」

和泉さんは涙目で、身を乗り出した。その体は小刻みに震えている。

「……松ヶ崎から桃山まで、夜の九時前後に一時間で往復ですか」

「地図あるで」

上田さんはカウンター裏から地図を取り出して、テーブルの上に広げた。

「清貴くんが覚えとるか分からへんけど、うちはここなんです」

と、和泉さんは自宅の場所を指した。北山通より少し北だ。

「あなたの家は、勿論覚えてますよ。……彼は、お酒を飲まれていたということで、運転はありえないですね。となると、使ったのはタクシーか公共交通機関。あなたの家は、松ヶ崎駅からも修学院駅からも近くはないですね」

ホームズさんは、地図を確認しながら独り言のように洩らす。

「タクシーか。車では道がゴチャゴチャしとるし、どうやっても往復一時間はキツイやろ。

その上、一発決めてんのやで」

なんて露骨なことを言う上田さんに、私と和泉さんの顔が引きつる。

「行為があったかどうかは分かりませんが、単に移動だけで考えても車は厳しいですね。どんなに道が空いていても、一時間で帰って来られるかどうか。渋滞する可能性もあるわけですし。となると公共交通機関ですが、松ヶ崎駅からなら、京都駅までは約二十分くらい。そこから電車かタクシーで桃山まで移動。……やはり往復で一時間は難しいです」

「せやな」うん、と頷く上田さん。

「修学院駅から叡電で出町柳に行って、そこから京阪に乗り換えても、一時間で往復は厳しいですね」

トン、と地図を指差したホームズさん。地の利がない私には、どうにもピンとこない。

「あ、あの、自転車ではどうでしょうか？」

ためらいつつ口を出すと、ホームズさんはそっと腕を組んだ。

「自転車も飲酒運転は許されませんが、それは僕も考えていました。松ヶ崎から桃山まで、約十キロ強。プロレベルの方が、ロードバイクでサイクリングロード等を走行した場合、平均時速三十キロと聞いたことがあります。となると、二十分で行きます。

しかしこれは、あくまでプロレベルの方が、信号がない平坦な道を走行した場合です。たとえ、そこそこ走れたとしても、信号や登り下りがある道を走行となりますと、どんなにがんばっても四十分近くはかかるかと思います。ちょっと厳しいですね」

「ほんならバイクはどうやねん。誰かの後ろに乗ったとか。酒飲んだ振りして、実はシラフやって、自分でバイクを飛ばしたってこともありえるやろ」

「ええ、バイクが一番速いでしょう。それでも、やはり片道三十分はかかると思います」

そう告げたホームズさんに、私たちは唸りながら腕を組んだ。

「えっと、川を下ったりとか」

地図の『高野川』を目にしながらそう洩らした私に、上田さんがプッと吹き出した。

「そんな人おったら、大注目やで。コッソリ行動せなあかんのに、そらないやろ」

クックと笑う上田さんと、口に手を当ててクスクス笑う和泉さんに、頬が熱くなる。

「そ、そうですよね。なんかおバカなことを言っちゃいました」

「いえ、発想は面白いかと思います。段差があるので厳しいかもしれませんが、小さなボートかカヌーで高野川から鴨川に続いて鴨川東までくだり、そこから、自転車などで桃山まで移動する。行きはもしかしたら早く着くかもですが、帰りが難しいでしょう。それに、誕生日の呼び出しは突発的なことで、そんな準備をしていたとは思えません」

冷静に分析しつつフォローしてくれるホームズさんに、少し救われた気がした。

「それでは、やっぱり不可能なんやろうか」

肩をすくめて尋ねる和泉さん。

そう言いながらも、その顔は、彼が無実だとは少しも思っていないようだ。

彼女の中に、理屈ではない確信があるのだろう。

「せやなぁ、婚約者が会場から姿を消していたのは、一時間。移動は松ヶ崎から桃山まで。これを崩すのは容易なことやないな。ヘリでも飛ばしたんやろか」

上田さんはクシャクシャと頭をかいてフーッと息を吐いたあと、ふと思い付いたように身を乗り出した。

「なぁ、ほんまに『彼女の家』やったんやろうか。北山のホテルあたりで会ったんちゃう?」

そう言った上田さんに、私は思わず眉根を寄せた。

「でも、それって彼女がそんな嘘をついてもメリットはないんじゃないでしょうか? 彼側が先に言い出したことならまだしも」

「ああ、まぁな」なんとなく頷く上田さん。

そんな中、ホームズさんは微かに笑みを湛えながら和泉さんに視線を移した。

「それに、和泉自身、彼が彼女の部屋に行ったという確信があるんですよね。『何か』を見たのではないですか? そこまで信じ込める『何か』を……」

その言葉に、和泉さんの肩がピクリと震えた。

「『何か』ってなんやねん」

「おそらく、彼女がネットに発信した記事を見たのではないかと」

私たちが『なるほど』と頷くと、和泉さんは苦い表情で目をそらした。

「……さすが、清貴くんやね」

ポツリと零す和泉さんに、ホームズさんは何も言わずに次の言葉を待った。

「清貴くんの言う通り、私は彼女に話を聞かされたあと、受け取った名刺から名前を知ることができたから、本名開示のSNSで検索してみたんです。彼は魅力的な方やし、ただのやっかみかもしれへんし、ちゃんと確認してから思うて」

そう話す和泉さんに、少し感心してしまった。

取り乱して、すぐに彼を糾弾したのではなかったんだ。

「そうしたら、こんな記事が……」

和泉さんはスマホを取り出して操作し、少しためらいながらも、あるページを私たちに見せてくれた。私たちは息を呑んで、画面に目を向ける。

そこには、泣きはらした顔ながらも、無理に笑顔を作っている女性の自撮り写真。

小ぶりのカウチにクッション、小さなテーブルの上には、グラスと、ワインの空き瓶が二本、写っている。

どう見ても、一人暮らしの女性の狭い部屋だ。

【二十九歳の誕生日。今日、恋に終わりを告げました】

そんな見出し。

【彼から、急に別れを切り出されたのは、先月のこと。

　なんでも、父親が大変世話になった人の娘との縁談を断れないそうだ。その娘は、見た目がいいだけの最悪の女！　他の男と婚約までしておいて、私の彼を見初めてその男を捨てて、父親に頼んで縁談に持ち込んだみたい。

　だけど彼から家の事情なんかも聞かされて、これはもう、どうしようもないことだって思った。でも、最後に私の誕生日、一緒に過ごしたいと言ったら、

『その日は婚約パーティなんだ』って言われてしまった。

　我慢して部屋で一人でお酒を飲んでいたけど、どうしても堪えきれなくなって、

『お願い、会いにきて』って、泣きながらお願いしたら、彼はなんと婚約パーティを抜けて、私に会いにきてくれたの。

　嬉しかった。彼が生涯愛しているのは、私なんだって思った。

　彼はこれから愛のない結婚生活を強いられることになる。それは可哀相だと思うけど、私は彼からもらったたくさんの思い出を宝物に変えて、前を向いて歩いていきたいと思う。

　彼が帰ったばかりの部屋で、泣きながらこの記事を書いてる私です。

　そんなわけで、シングルになった私。みんな、これからもよろしくね！】

　その内容に、私たちは言葉を詰まらせ、和泉さんは手を小刻みに震わせていた。

「――ゆ、許せない。こんな、あることとないこと」

悔しさのせいか、目に涙が滲んでいた。

「でも、これは彼がそう言ったんちゃう？」

「だからや！　だから許せなくて、私は彼に言うたんよ！　そんなに嫌なら、縁談を白紙にしましょうって。私から父に頼んであげるし、あなたの親と父の間でどんな金銭の問題があるか分からないけど、全部考慮（こうりょ）するしって！　だけど彼は、『馬鹿なこと言わないでほしい。この人の妄想がすぎているだけで、僕は縁談とか関係なく、あなたが好きなんだ』って。『第一、あの日、彼女の部屋まで行けたわけがないだろう』って」

「……あの、日付は婚約パーティの日で間違いないんですよね？」

改めて記事を見つつ、私がそう尋ねると、彼女はコクリと頷いた。

投稿時間は、二十一時三十二分。

彼が帰ったあとに、記事を書いて投稿となると、そのくらいなのかもしれない。

ホームズさんは、無言で画像に人差し指を当てた。

表示されるのは『京都市』の文字だけで、詳しい住所までは出なかった。

「ようやく合点がいったわ。ほんで、アリバイを崩したくなったわけや。お嬢さんは何かも信じられへん状態なわけやな。そらしんどいやろ」

腕を組んで頷く上田さんに、和泉さんはポロリと一筋の涙を零した。

親の決めた縁談だったけれど、元彼のことで傷心だった和泉さんは、彼に出会って、きっと心惹かれたのだろう。この人なら、と思ったに違いない。

そんな中の裏切りだからこそ許せないし、どうしてもハッキリさせたいのだろう。

「だけど、この人もわざわざこんなこと書いて公開するなんて。これも和泉さんへの嫌がらせだったんでしょうか？」

記事を眺めながら呟いた私に、

「いえ、これは、仲間内に向けてのものですね」ホームズさんがサラリと言う。

「仲間内？」

「おそらく、この彼女は、魅力的な彼氏がいることを自慢し尽くしてきたのでしょう。そこにきてフラれたとなると、決まりが悪いわけです。『私たちは、こんなに可哀相そうな状態で、お互い好き合っているのに、別れなくてはならなかったの』という周囲に対する言い訳と、同情を引くためのアピールですね」

……う、相変わらず、鋭い切れ味だ。

「この記事には、都合の良い解釈や言い訳が見受けられますが、彼がパーティの日に彼女の部屋に訪れたのは、本当ではないかと思います」

画面を見たまま言うホームズさんに、

「なんや、振り出しに戻った感じやん。ヘリでも飛ばしたんかいな」と、上田さんはまた、肩をすくめた。

「いえ、ヘリは飛ばしていないでしょう」

「分かっとるわ。でも、ほんならどうやって」

「そうですね。僕の中で、ひとつの『仮説』ができました」

スッと顔を上げたホームズさんに、「えっ？」と皆の声が揃った。

「──和泉」

「は、はい」

「ここからは、『疑い』の域を超えていきます。真相を知る覚悟はできていますか？　時に見て見ぬ振りをすることも、必要となる場合があります」

ホームズさんの問いかけに、わずかな沈黙と緊張感が襲った。

「もう、見て見ぬ振りでけへんから、ここに来たの」

少しの間のあと、強い眼差しを見せた和泉さんに、ホームズさんは満足そうに頷いた。

「いいでしょう。それでは僕が今から言うことを調べてください。それが大きな証拠になります」

「は、はい」

「それが揃いましたら、連絡をください。そのあとのことは、それから相談しましょう」

そう言って笑みを見せたホームズさんに、

「──はい」

目に涙を浮かべながらも、和泉さんは強く頷いた。

和泉さんが店を出て行った後、上田さんは大きく息をついた。

「ホームズ、かんにんな。この前な、丁度この店の前で、あの子に会ってん。『和泉ちゃんやないか。久しぶりやな』って、声かけたら、あの子は俺を見るなり、ボロボロと涙を零して、『おじさま、助けてください。誰にも相談でけへんのです』って、ほんまに死にそうな顔してん。ほんで、『ホームズに頼んだるから』って言うてもうて。元カノの相談なんて、ええ気せぇへんかったやろ」

上田さんはそう言って、ホームズさんに手を合わせた。

「いえ、もう終わったことですし」

「そんなん言うて、怒ってへん？」

「まあ、もうひとつ上田さんに貸しを作れたと思えば、安いものです」

ホームズさんは、微笑むように口角を上げた。

「なんや、それもまた怖いわ」と、肩をすくめる。

それにしても、婚約者のアリバイ崩し、か。

……たとえ真相が判明しても、なんだか後味の悪いことになりそう。

重い気持ちで、息をついていると、

「葵さん、あなたが気に病むことではないですよ」

ホームズさんが地図を畳みながら静かにそう言った。

「そ、そうですよね」

私が気に病んでも仕方のないことだ。

5

――それから、十日後。

世間はクリスマスイブを迎えていた。

クリスマスに町が華やかになるのは、古都・京都も一緒のようだ。

デパートではクリスマスのディスプレーがされ、町を歩いているとクリスマスソングが耳に届く。

私はそんな華やかな町とは裏腹に、学校が冬休みに入ったというのに誰と遊びにいくわけでもなく、いつものように骨董品店『蔵』で掃除をしていた。

窓の外を眺めながら、小さく息をつく。

行き交うカップルの密着度がいつもより高くなっているように見えるのは、私の心が少し荒(すさ)んでいるからだろうか？

花の十七歳のクリスマスイブだというのに、予定もないなんて寂しいったらない。香織と過ごそうと思ったら、『アイドルのクリスマスライブを観に京セラドームに行く』と張り切って、大阪に行ってしまっていた。

元々私はクリスマスも『蔵』でバイトだし、同じく独り身のホームズさんもきっといるだろうから、寂しくはないだろう、なんてたかをくくっていた。

だけど、そうは、問屋が卸さず、店内には私ただ一人。

ホームズさんは、二十日から北山のカフェに手伝いにいっていて、本日がお手伝い最終日の四日目だ。ホームズさんの留守中、店長も出版社の方と打ち合わせや取材と忙しかったため、私は店番に勤しんでいた。

そう、嬉しいのか悲しいのか、ホームズさんが不在の今、バイトの私が結構当てにされてしまっている状態だった。

だから、ホームズさんがカフェで働いている姿を、私は一度も観に行けていない。

だけど、クリスマスイブの今日ばかりは、店長も店のカウンターで執筆に励むことから、早上がりをさせてもらえることになった。

その店長は今、一時的に店を抜けて、編集さんと打ち合わせ中だ。

いつ帰ってくるんだろう、気になってチラチラと窓の外を眺めていると、やがてカランとドアベルが鳴って、店長が姿を現した。

「葵さん、遅くなってすみません」

申し訳なさそうに会釈をする店長に、「いえいえ」と首を振った。

「私こそ、早上がりさせてもらうなんて、すみません」

「いやいや、最近はずっとお願いしっぱなしでしたからね。どうか素敵なクリスマスイブをお過ごしください」

そう言ってコートを脱いで、ポールハンガーに掛ける。

「は、はい、ありがとうございます」

素敵なクリスマスイブを過ごせる予定はまったくないんだけど、せめて北山のお洒落なカフェに行って、働いているホームズさんを眺めながら、美味しいスイーツを食べてこようかと思います……。と、これは声に出さずに心で答えた。

よいしょ、と椅子に腰を下ろす店長を横目で見ながら、店を上がる前にコーヒーを淹れようと、私は給湯室に入った。

店長は鞄から原稿を取り出して、「うん」と頷いて、ペンを手にする。

落ち着いた大人の雰囲気。ホームズさんのように目を惹く外見ではないけれど、大人の渋みと上品さがあってとても素敵だと思う。

作家としても活躍している店長に、憧れる女性が現れるのも無理はないだろう。

シミジミ思いながら、淹れたてのコーヒーが入ったカップをカウンターに置いた。

「どうぞ」

「ああ、驚いた。帰り支度をされているものとばかり思っていたので。ありがとうございます。葵さんはとても気が利きますね」

「い、いえ、そんな。あと、これ、もし良かったら」

と、ラッピングした袋を差し出した。

「――これは？」

店長は驚いたように瞬いて、ラッピング袋を手にした。

「クッキーです。クリスマスなので、日頃の感謝をこめて焼いてきました。お仕事の合間に食べてください」

「これは、嬉しいですね。ありがとうございます」

顔をクシャクシャにして目を細めてくれる店長に、私まで嬉しくなってしまう。

「それじゃあ、はりきって仕事をがんばりますね。せっかく葵さんがコーヒーとクッキーを用意してくれたわけですし。葵さんも、もう上がってくださいね」

「はい。お疲れ様でした、お先に失礼いたします」

頭を下げて、店を出ようとしたその時、「ああ、葵さん」と声をかけられて、振り返った。

「メリークリスマスです」少し照れたように言う店長に、頬が緩む。

「ありがとうございます。メリークリスマスです、店長」

私も気恥ずかしさを感じながらそう言って、頭を下げた。

6

そのまま、私は自転車に乗って北山通へと急いだ。

冬の風が頬を刺すように冷たかったけれど、懸命に自転車を漕いでいたため、『寒い』とは感じなかった。

自転車が北山通に入ると、やがて『la cafe 北山』という看板が見えてくる。

店の前には、この寒空の下、女の子が列をなして並んでいた。

外には臨時で雇われたと思われる警備員が、「膨らまないで、一列にお願いします」と声を上げている。

「――ッ！」お、驚いた、こんなに流行ってるの？

自転車から降りてグリップを握り、ゆっくりと店の前を通る。

ガラスの向こうの店内には、黒いベストに黒い腰エプロンをつけたホームズさんを含む、見目麗しい男子たち。店内は満員御礼状態だ。

外で並んでいる女の子たちは、店の中を覗いて、「きゃあきゃあ」と声を上げている。

「あーん、もう、みんな、めっちゃカッコイイ」

「あの彼は、今日で終わりなんでしょう？　残念だよね」

「私、連絡先渡すんだ」

自分の連絡先を記載してあるであろう可愛い名刺を手に、ウキウキした様子で言う女子大生さんたち。

こうしている間にも、どんどん列が増えていく。

大きな窓の向こうでは、たくさんの女性客から熱い視線を集めているホームズさんの姿。

思っていた通り、優しい微笑みでスイーツを運んでいた。

「…………」

なんだか、とても寂しい気持ちになってしまう。

『蔵』で見ているホームズさんとは、別の人のように見えてしまって。

――帰ろう。

ここのスイーツはもう食べているし、ホームズさんのスマートな姿は見られたし、それでいいや。

グリップを握り直して、Uターンしようとグルリと方向転換した。

今も聞こえる「きゃあきゃあ」という黄色い声を背中に、ゆっくりと歩き出す。

すると突然、「きゃあああ」と、その声が急に大きくなった気がすると同時に、

「――葵さん」

背後でホームズさんの声がして、私は驚いて振り返った。

そこには、間違いなくホームズさんの姿。

突然、外に出てきてくれたことに、驚いて言葉が出ない。

それは外で待っていた女の子たちも同じようで、固まっていた。

「来てくださったんですよね？　帰られてしまうんですか？」

「あ、はい、すごい盛況なので……」バツの悪さに肩をすくめた。

「ですね、さすが上田さんです」

並ぶ列や満員の店内に目を向けながら、そっと微笑んだ。

いや、ホームズさん含むイケメン店員効果でしょう。

(それも含めて『さすが上田さん』になるのかもしれないけど)

「あなたの姿に気付けて良かったです」

ホームズさんの言葉に、ドキンと鼓動が鳴った。

体からはいつもとは違う甘い香りがしていて、なんだか、クラクラしてしまいそうだ。

「実は丁度、連絡しようと思ってたんです。もし良かったら閉店後、改めてここに来ませんか？　少し遅い時間で申し訳ないのですが」

このカフェは、二十時閉店だ。

「え、どうしてですか？」

戸惑う私に、ホームズさんはスッと身を屈めて、耳元で囁いた。

「……和泉から連絡が入りました。今日、閉店後のこのカフェに、彼と和泉が来ることになったんです。葵さんも、もし良かったら。乗りかかった船ですし」

『いよいよ決着をつけるんだ！』と、思った瞬間、「きゃあぁ」と悲鳴に近い声が上がり、私とホームズさんは「え？」と驚いて顔を上げた。

どうやら、ホームズさんが私の耳元で何か色っぽいことを囁いたと周囲が勘違いしたようだ。皆の視線がとても熱く、申し訳なさに顔を上げられない。

「わ、分かりました。それじゃあ、改めて来ます！　残りの時間、がんばってください」

私は手を振って、逃げるように自転車に飛び乗って走り出す。

今もドキドキと鼓動がうるさい。

だけど、寂しい気持ちは、すっかり払拭されていた。

7

そうして二十時。私は再び北山のカフェを訪れていた。

――ああ、いよいよだ。

私は、窓際の席に座って胸の前に拳を当てた。

対面にはホームズさん。上田さんはカウンター席に座って、頬杖をついていた。

窓の外は、もう真っ暗だ。

北山通に並ぶ店の明かりとクリスマスイルミネーションが、とても美しく映えている。

そんな煌びやかな光景とは裏腹に、少し気が重い。

すごい修羅場になったらどうしよう。

はぁ、と息を吐く私に、ホームズさんは少し申し訳なさそうに苦笑した。

「変なことに付き合せてしまって、申し訳ありません」

「いえ、そんな。私も真相が気になっていましたし、同席できるのは嬉しいです。ただ、修羅場になったらと……」

「大丈夫ですよ」

とホームズさんが優しい眼差しを向けてくれる。

「……はい」

心がスッと軽くなる。不思議だけど、いつもそうなんだ。

ホームズさんが『大丈夫』と言ったら、大丈夫なんだろうと、安心できる。これまでも、いろいろあったけれど、私はいつだってホームズさんに救われてきた気がするから。

「こ、こんばんは」

二十時五分頃、店の扉が静かに開き、和泉さんが姿を現し、

「このたびは、本当にいろいろとご迷惑をおかけして」と、頭を下げた。

私たちも立ち上がって、会釈を返す。

彼女がここに来たのは、たった十日前のこと。

それなのに、随分とやつれてしまったように見えた。きっと心労が祟ったのだろう。

「いえ。で、彼は？」

「もうすぐ着くかと思います」

その言葉に、また緊張してしまう。

「それでは、座って待っていましょうか」

ホームズさんがそう言った時、和泉さんがピクリと体を強張らせ、目を見開いた。

「？」なんだろうと振り返ると、店の外にスーツを着た男性の姿があった。

和泉さんの姿を見つけるなり、にこりと微笑む。

――この彼が、噂の婚約者。

歳は多分、三十路前後。スーツがよく似合うガッチリとした肩に、メガネをかけていて、一見したところ、エリートサラリーマンという雰囲気。

涼やかな顔立ちで、清潔感がある、確かに素敵な人だ。

ホームズさんも涼やかな男前だから、和泉さんは基本的に、爽やかなタイプが好きなのかもしれない。

「和泉さん」彼は店の扉を開けるなり、優しくそう言った。

「た、橘(たちばな)さん」

和泉さんはほんのり頬を赤らめて、そのまま俯いた。

その姿は、すっかり『恋する女の子』だ。

浮気のアリバイを崩したいと思ってはいても、この婚約者さんに夢中だということが伝わってくる。

「——こちらは？」スッとホームズさんに視線を移す。

身長はホームズさんと同じくらい、しっかりと合わせるその目には、鋭さがあった。

「はじめまして、家頭清貴と申します」

露骨な警戒心をものともせずに、にこりと柔らかく微笑むホームズさん。

「真城葵です」続いて私も頭を下げる。

「彼は、その、家頭誠司さんのお孫さんで……」と、話す和泉さんに、その名を耳にしたことがあるのか、橘さんは「ああ」と声を上げた。

「評判は聞いたことがありますよ。『寺町三条のホームズ』と呼ばれる切れ者だとか」

橘さんは、にこりと笑って、握手の手を差し伸べた。

「いえ、僕が『ホームズ』と呼ばれているのは、苗字が家頭だからですよ。お恥ずかしい限りです」ホームズさんは、いつもの返しをして、その手を取った。

すごい、地味にホームズさんの評判が広まっているんだ。

言葉に出さずに感心していると、

「……ちなみに、僕のことを恥ずかしげもなく周囲の人間に広めているのは、祖父ですから」ホームズさんが小声でポツリと呟いた。

不意に心を読まれた感じと、孫バカなオーナーの所業にむせそうになり、慌てて口を押さえた。

「それで、家頭さんが俺に何か？」

穏やかな口調の中に、少し威圧的なものを感じた。

「ええ、和泉さんから相談を受けまして。ゆっくり説明いたしますので、とりあえず座りましょうか」と、私たちは椅子に腰を下ろした。

「――婚約パーティの日のことですか？」

上田さんがコーヒーを淹れてくれたところで話を切り出したホームズさんに、橘さんは少し笑ったような口調でそう言った。

『また、その話ですか』という雰囲気だ。

和泉さんは、目を伏せたままで何も言わない。

「それについては、俺は和泉さんに説明をして、彼女も納得してくれたと思いますが」

橘さんは、自分の隣に座る和泉さんに視線を移した。

ピクリと肩を震わせ、和泉さんは苦い表情で唇をキュッと噛んだ。

「納得されていないから、僕に相談したわけなんですよ」

諭すように話すホームズさんに、

「彼女と君はどういうご関係で？」と、睨むような目を見せた。

「どういう……。同じ高校出身です」

流石に『元彼氏』とは言い難かったようだ。とはいえ、嘘はついていない。

橘さんは一瞬拍子抜けしたような表情を見せたあと、すぐに気を取り直したように口角を上げた。

「なるほど、こんな美しい元同級生に頼まれたなら、力にもなりたくなるわけですよね」

警戒心をさらに強める彼に、苦笑してしまう。

それだけ、和泉さんが大事なんだろうけれど、これじゃあ、落ち着いて話もできない。

ホームズさんも同じことを思ったのか、小さく息をついた。

「いえ、そういうことで引き受けたのではありません」

強い口調で告げるホームズさんに、橘さんは眉を寄せた。

「僕にも婚約者がいますから」

ホームズさんは隣に座る私の肩に手を回して、そっと引き寄せて笑みを見せる。

こ、こんやくしゃ？

仰天したものの、すぐに彼の警戒心を解くための嘘だということが分かり、私は顔を強張らせながらも、コクコクと頷いた。

「……ああ、お二人はご婚約されているんですか」

橘さんは、また拍子抜けしたように洩らす。

「はい。ですから、和泉さんの心配が他人事ではなかったんです」

強く頷くホームズさん。

私はというと、何とも言えない気恥ずかしさから顔が熱くなって仕方ない。

そんな私たちの姿に、橘さんはようやく警戒心が解けたようで、ふわりとした笑みを浮かべた。

「それにしても、お若いのに、お早い決断ですね」

「英断と言っていただけると」

「って、もう、ホームズさん」

お芝居とはいえ、いや、お芝居だからこそ、居たたまれない。

恥ずかしさが募って、思わずホームズさんの袖を引っ張った私に、橘さんはアハハと笑った。

「いや、素敵なお二人ですね。なんだか羨ましいですよ。俺も和泉さんとそうなりたいものです」

　楽しげに言った橘さんに、和泉さんの頬が桜色に染まり、今まで緊張感に包まれていた場の雰囲気がなごやかになった気がした。

「それでは……」と、ホームズさんはテーブルの上に両手を置き、そっとその手を組んだ。

「改めて、婚約パーティの日のことを話してもらえますか？」

「ええ、いいですよ。その日は夕方に彼女の家に入りまして、深夜までパーティを楽しみ、彼女の家に泊めさせてもらいました」サラリと答える。

「あなたは、そのパーティの席で途中具合が悪くなり、一時間ほど宴会場を抜けて、別室で休まれたんですよね？」

「――はい。嬉しくて飲みすぎまして。ですが自分たちのために集まってもらっているわけですから、少し仮眠を取ったら、すぐに戻ろうと、彼女の家の使用人さんにお願いして、一時間で起こしてもらいました」

「その部屋は、一階奥の応接室で間違いないですか」

「ええ。大きなソファーがあるので、そこで休ませてもらうことにしました」

「あなたはその応接室に鍵をかけられたとか」

　ホームズさんの言葉に、橘さんは眉をピクリと動かした。

「はい、そのパーティには親戚の小さな子どももいて、ドタバタと入ってこられたくなかったんですよね」

すぐに柔らかな笑みでそう言う。

「それであなたは、一時間後、使用人がドアをノックする音で目を覚ました」

「はい、そうです」

当たり前のように頷く彼に、ホームズさんも頷いた。

「……ですが、問題はその五日後に起こった。あなたの彼女だったという方が和泉さんの元を訪れて、あなたがその婚約パーティを抜け出し、家まで会いにきてくれた上に、『強く抱いてくれた』と言っているわけです」

「――ええ、それは和泉さんから伺いました。本当に不快な思いをさせて申し訳ないです。その女性は仕事を通じて知り合った人で、自分に好意があることを分かっていたんですが、まさかこんな妄想がすぎたことまでするとは、思いませんでした」

彼は沈痛の面持ちを見せる。

「和泉さんの元を訪れた彼女の話によると、あの日はあなたの『婚約パーティ』だったことを知っていたようですが、あなたはそのことを彼女に伝えたんですか？」

「いえ、会社の人間には伝えましたが、彼女には伝えてません。おそらく、誰かに聞いたのでしょう」と、言って橘さんは肩をすくめる。

「疑心暗鬼になった和泉さんが、知人に頼んで、彼女の会社の同僚に聞いてもらったところ、その彼女とあなたが交際していた、と証言する人間も出てきたそうですが」

「……こう言っては申し訳ないのですが、彼女の妄想が引き起こしたことです」

「それでは、彼女が本名開示のSNSに投稿していた記事については？」

「ああ、見ました。ですが、あれに俺の名前は一字も入っていませんでしたよね？　俺のことではないです。もし、彼女が俺のことだというならば、それもまた妄想がすぎているだけだと思います」

「『妄想』と言ってしまえば、なんでも言い逃れできるものではありません。それだけ、あなたが彼女に勘違いさせてきたのかもしれませんしね。実際のところ、応接室で休んでいる一時間の間に、抜け出して彼女の部屋に行ったのではないでしょうか？」

少し鋭い口調で尋ねたホームズさんに、橘さんは小さく笑って肩をすくめた。

「たしかに、勘違いさせてしまうような、軽率な行動を取ってしまったかもしれません。ですが、これは和泉さんにも言いましたが、彼女の家は桃山です。松ヶ崎から桃山まで、どうやって一時間で行って帰って来られますか？　それこそが、彼女の妄想の証でしょう」

笑顔で、それでも強い口調で反論する。

「それでは、今から僕の仮説を聞いてもらえますか？　あくまで、これは僕の『妄想』です。どうか、話を遮らずに、最後まで聞いていただけると」

しっかりと視線を合わせて尋ねたホームズさんに、

「……ええ、どうぞ」橘さんはほんの少し目を細めたあと、大きく頷いた。

「──あなたとその彼女は、『恋人同士』であったことは確かでしょう」

そう話し出したホームズさんに、橘さんは反論したそうにしながらも、何も言わずに腕を組んだ。一方の和泉さんは目を伏せたままだ。

「ですが、あなたにとって彼女は『人生のパートナー』になりえる人ではなかった。少なくとも、親が持ち込んだ縁談を優先する程度の女性だった。もしかしたら、もう潮時だと思っていたのかもしれませんね。彼女にはきっと、『親には逆らえない』と悲劇的な言い方をして、別れを告げたのでしょう。ありもしない借金のことなども、チラつかせたかもしれません。切実に結婚を考えている適齢期の女性にとって、借金がある男というのは、どんなに魅力的でも論外でしょう。それで、彼女は大人しく引き下がることにした。

でも彼女は、最後に思い出が欲しいと思った。だから『誕生日、一緒に過ごしたい』と申し出た。ですが奇しくも、その日は婚約パーティ──、いや、もしかしたらあなたがその日を指定したのかもしれませんね。そんなわけで、誕生日も一緒に過ごせなくなったわけです」

ホームズさんの話しぶりから、まるで情景が見えてくるようだった。

「彼女は誕生日、部屋で一人ワインを飲んでいました。最低二本は空けたようです。写真にワインの空き瓶が写っていましたしね。納得した別れでありながら、酔いが回るうちに制御（せいぎょ）が利かなくなってきた。そこで彼女は、あなたに連絡を取った。電話なのかメールなのか分かりませんが、その内容は、あなたが冷静でいられなくなるものだったと思われます。おそらく、『今すぐ会いに来てくれないと、あんたの婚約者の家に押しかけてやる』といったものだったのではないでしょうか。それにはあなたも動揺し、急遽会いに行くことにしたわけです」

そこまで話したホームズさんに、私たちは息を呑んだ。

「ここでひとつの疑問が生じます。『彼女の脅しにどうして簡単に屈したのか』——と。泥酔状態とはいえ、桃山に住む『いい大人』である彼女が、和泉さんの家を調べて遥か松ヶ崎まで押し掛けにくるものでしょうか？　実際に実行しようとしても、その間に酔いも醒（さ）めて、しらけそうなものです。橘さんが恐れた理由。それは、『その気になればすぐに押し掛けられる距離』に彼女がいたからではないでしょうか。

つまりその時、『彼女の家が近くにあった』からではないかと考えられます。和泉さんの家はとても大きく、近所でも有名な豪邸でしょう。その彼女も北山通付近に住んでいて、あの屋敷の娘だということを知っていた。そんなに近所に住んでいたなら、酔っぱらった勢いで本当に押し掛けかねないと、あなたはそう思ったわけです」

私は呼吸もできないような気持ちで、そっと橘さんに視線を移すと、恐ろしく冷ややかな顔を見せていた。

「そうして、あなたは気付かれぬように家を抜け出しました。応接室からは庭が見渡せますし、サンダルもあったでしょう。もしくは最初にコッソリ靴を運んだのかもしれません。ともかく、あなたは、そのまま彼女のところに向かいました」

なるほど、それなら玄関に移動しなくても、外に出られるわけだ。

「ですが、このまま会いに行ったところで、彼女が今後も厄介ごとを起こさないとも限らない。なにせ、こんな近くに住んでいる。そんな恐れを感じたあなたは、家に向かう前に近所のコンビニに立ち寄ります。そしてお金を下ろした。そう、『慰謝料』という名の手切れ金を用意したわけです。それで、この界隈（かいわい）から出て行ってもらおうと考えた」

その言葉に、橘さんはギリッと奥歯を噛みしめた。

「そしてあなたは、彼女の部屋を訪れました。あなたが来たことで、彼女は随分満足されたのではないでしょうか？　あなたは感激に涙する彼女を強く抱き締めて、謝罪をした。そこで改めて、どうにもならないことを伝えた上で、『慰謝料』を手渡した。『申し訳ないが、これで引っ越しをしてほしい』という言葉を添えて。彼女としては、元々終わっていた関係に大きなお金が手に入って、不本意ながらも従っても良いという気持ちになったかと思われます。抜け目のないあなたは、慰謝料を渡した際に念書（ねんしょ）も書かせたかもしれませんね」

橘さんは口を堅く結んだまま、目を真っ赤にさせてホームズさんを見ている。

「ちなみに彼女は和泉さんの元を訪れた際に、『強く抱いてくれた』と言ったそうですが、それは行為ではなく、『抱き締めてくれた』のではないかと思います。もし、実際に行為に及んでいて、和泉さんの気持ちを煽りたかったなら、『激しく抱いてくれた』といった言い回しをしそうな気がしますので」

その言葉に、橘さんはそっと目を伏せ、一方の和泉さんはホッとしたのか、頬を紅潮させて、目を潤ませた。

「その後、彼女はあなたの言いつけに従い、すぐに『桃山』に引っ越します。一人暮らしですからね、引っ越しはさほど大変でもないでしょう。引っ越しが終わって落ち着いた頃、彼女はまた冷静になったことで、橘さんの人生を台無しにした女に一言いってやりたくなり和泉さんの元を訪れた……。こんなところかと思います。

つまり、今回のアリバイはすべて、言葉のマジックですね。彼女の住まいを桃山と思い込ませて、会うのは不可能だと思わせたわけです。ですが、なんのことはない、あなたは桃山まで往復したのではなく、近所に住む彼女の家に行っただけのこと。一時間もあればなんとかなったわけです。……と、まあ、僕はこう思ったわけです」

説明を終えたホームズさんに、橘さんはほんの少し黙り込んだあと「はっ」と笑って、手を上げた。

「いや、あなたも素晴らしい妄想力ですね。感心しました」

橘さんは空笑いをしてそう言う。

「それが、妄想でもないんです。和泉さんは彼女が元々北山付近で一人暮らしをしていて、最近引っ越したばかりだという情報をつかみました。あなたは、和泉さんに『以前、彼女を桃山まで送ったことがある』と言っていましたよね？」

少し身を乗り出したホームズさんに、橘さんは笑顔で頷いた。

「ええ。言いましたよ。へぇ、彼女はつい最近まで北山周辺に住んでいたんですね。それは知りませんでした。かつて俺が送ったのは、桃山にある彼女の実家までなので」

動じる様子もなく言う橘さんに、ホームズさんはフッと笑った。

「――なるほど、抜け目ない。引っ越し先に、桃山を指定されたわけですか？」

互いに微笑み合いながらも、バチバチと火花を散らしている。

切れ者同士のぶつかり合いという感じだ。

「それでは、あなたは婚約パーティの夜は、一度も彼女の家から出ていないということですね？」

と確認したホームズさんに、彼は弱ったように肩をすくめた。

「……実を言うと、酔い醒ましにどうしても外の空気が吸いたくなって、そっと外に出てコンビニには入りました」

「なるほど」可笑しそうに笑うホームズさん。

ホームズさんは、和泉さんにコンビニ店員の証言をもらうよう指示していた。

夜はすいている住宅街のコンビニ、その時間、スーツ姿の男性が入ってきて、ＡＴＭに長く留まる姿が印象的で、アルバイトは覚えていたそうだ。

橘さんも、こちらがコンビニ店員から証言を確保したことを察したのだろう、それを踏まえた上での発言に言葉が出ない。

――この人は、とことん嘘を突き通す気なんだ。

「……ということですが、和泉さんはどう思われますか？」

ホームズさんは『やれやれ』という様子で、和泉さんに視線を移した。

「……わ、私は……」

俯いたまま、ギュッと拳を握りしめている。

きっと和泉さんは、彼のこうしたしたたかな部分にも惹かれているのかもしれない。

だからこそ、強く言えない。だけど、納得なんてできないんだ。

そんな中、橘さんはスッと顔を上げ、

「万が一あなたの仮説通りだとしても、すべては終わったことですよ」

まるでダメ押しのようにそう言った。

そう……そうなんだ。本当に、すべては終わったことなのかもしれない。

……だけど。

「ぜ、全然、納得いきませんよ、そんなの！」思わず私が声を上げてしまった。

皆が、驚いたように私を見る。

「あ、あなたは、和泉さんにも前の彼女さんにも不誠実すぎます！　部外者の私にだって、あなたが嘘を言ってることが分かります。和泉さんもそれが分かるから、悔しいし苦しいし、モヤモヤするんです。大好きな人でも、そんなふうに誤魔化され続けたら、この先、信じることなんてできません。何もかもが嘘に感じてしまいますし、そんな人と結婚生活なんて送れません！　どんなに都合が悪いことでも、傷付いてしまうことでも、本当のことを聞かせてもらいたいんです。どんなに良い言葉を並べても、嘘では意味がないんです。どうか、和泉さんのことを心から想っているなら、本当のことを聞かせてください！」

話しながら私の目から涙が零れ落ちる。

和泉さんの気持ちが伝わって、苦しい。

こんなふうに誤魔化され続けるのなんて嫌なんだ。たとえどんなに傷ついても、本当のことを言ってもらわないと前に進めないと、和泉さんは思っているんだ。

ハアハアと息を吐きながら、私は何を言っているんだろう、と我に返った。

「ご、ごめんなさい、部外者の私が……」

慌てて頭を下げると、和泉さんが小さく首を振って、ボロボロと涙を零した。

「……あ、葵さん、私の気持ちを代弁してくれて、ありがとうございます。橘さん、婚約を解消させてください」

　ハッキリとそう言った和泉さんに、彼は虚を衝かれたように目を見開いた。

「不思議な話ですが、私はあなたと出会った時に惹かれてしまいました。お恥ずかしい話ですけど、『運命』のようなものを感じたんです。ですが、ここまで本当のことを仰ってくださらないなら、もう駄目です。葵さんの仰る通り、信用できない方と人生をともにできません。私は今度こそ勘当されてしまうと思いますが、嘘を突き通されるのは嫌なんです」

　涙を流しながらそう言った和泉さんに、

「……和泉さん」橘さんは目を見開いたまま絶句した。

　しばしの沈黙が訪れ、その場はシンとした静けさに包まれた。

「……ほぼ、家頭さんの仮説通りです」

　ややあって、ポツリと呟いた橘さんの言葉に、私たちは何も言わずに彼を見た。

「彼女と交際はしていましたが、結婚までは考えていませんでした。結婚をチラつかせる彼女を前に、そろそろ潮時かとも思っていました。そんな時にあなたとの縁談の話が持ち上がり、俺は歓喜しました」

「……歓喜？」

　和泉さんは戸惑ったように橘さんを見た。

「ええ、言葉通り『歓喜』しました。あなたは気付かなかったでしょう。いろいろな会の席であなたを見かけていて、俺はずっとあなたに憧れていました。前の彼との婚約の話を聞いた時は、本当にショックでした。

しかし、その婚約は解消された。その理由は彼の女性関係ということで、たおやかながらも、とても芯の強い女性だということも分かりました。そんなあなたとの縁談の話を、俺は二つ返事で引き受けました。……そのためには身辺整理をしなくてはならない。彼女に別れを告げたら、彼女は半狂乱になりました。当然のことです。勝手な申し出ですし、絶対に俺と結婚すると思っていたんでしょう」

彼はそう言って大きく息を吐いた。

「なので俺は、自分の親が彼女の親に多額の借金をしていると嘘を言いました。その借金の保証人になっているとも。それがゆえの縁談であると伝えたんです。

つまり、この縁談を断ったら、自分は多額の借金を背負ってしまうと伝えたんです。

これは、最後の賭けでもありました。彼女が『それでもいい。一緒に借金を返していこう』と言ってくれたなら、自分はもう一度考え直すことも視野に入れていました。

というのも、どうしても、彼女は俺自身よりも、俺の収入や肩書きに惹かれて近付いている気がしたので……。結婚は人生がかかってるので、申し訳ないのですが試してしまったわけです。結果は、彼女が一気に引きまして、掌を返したように別れてくれました」

……そうだったんだ。

「そこから先は、本当に家頭さんの話してくれた通りです」

橘さんはそう言って、また大きく息をついた。

「和泉さんは、前の彼と『女性関係』が因で、婚約を解消したわけで、見合い相手の俺なんかが女性関係を持ち出したら、すぐに去って行ってしまうと思いました。だからなんとしても嘘を突き通そうと……どうしても、あなたを手放したくなかったんです。……本当に申し訳ございませんでした」

和泉さんに向かって深々と頭を下げる橘さん。

「……橘さん」

呆然と目を開き、体を小刻みに震わせる和泉さん。大きな瞳が涙に濡れている。

そんな二人を前に、ホームズさんは、ふっと笑った。

「……葵さん、僕たちはこのまま席を外すとしましょう」

すっくと立ち上がったホームズさんに、「えっ？」と一瞬戸惑ったものの、すぐに頷いて私も立ち上がった。

——このあとは本当に、二人の問題だ。

8

カフェを出てすぐに時間を確認すると、二十一時を指していた。

……一時間程度だったんだ。

話の内容が内容だけに、もっと長い時間を過ごしたかのように感じた。

私とホームズさんは少し散歩しようと、北山通をのんびりと歩いた。

通りかかった教会の礼拝堂から、讃美歌が聞こえてきている。開放された門の前には、『ご自由にお入りください』という看板があり、イルミネーションと美しい歌声に誘われて、私たちは教会の中庭に入り、空いているベンチに腰を掛けた。

「葵さん、先ほどは失礼いたしました」

「えっ？」

「勝手に婚約者に仕立ててしまいまして」

「あ、いえ、あれで橘さんの警戒心が解けて、すんなり本題に入れたわけですし」

「あの時、ものすごい目で僕を見たので、不快な思いをさせたかと」

「お、驚いただけで、ものすごい目だなんて、そんな」

そんな目をしてしまっていたんだろうか？

「それは良かったです。ホッとしました」

ふわりと微笑むホームズさんに、頬が熱くなる。

私たちはベンチに腰を掛けたまま、中庭のイルミネーションを眺めた。

目の前を家族連れやカップルが自由に行き交い、楽しげな姿を見せている。

冴えた月の下、教会の十字架がとても映えていた。

白い息が空気に溶けていく様子をなんとなく見ながら、

「……和泉さんと橘さん、どうなったんでしょうね」

ポツリと洩らすと、ホームズさんは「そうですね」と相槌をうった。

「結局は、彼の結婚前の『身辺整理』ですし、お互い想い合っていますからね。きっと、雨降って地固まったことでしょう。結婚前にこうした大きな衝突(しょうとつ)ができて、逆に良かったのではないでしょうか」

「そっか、そうですよね。あんなふうに嘘を突き通されるのは嫌だってことを、結婚前に伝えられて良かったですよね」

頷きながら言う私に、ホームズさんは弱ったようにクシャッと前髪をかき上げた。

「……すみません、葵さん。僕はあの時、ひとつだけ嘘を言いました」

「嘘?」

「嘘というよりも、『こうではないか』と感じたことを、正直に伝えませんでした」

「どういうことですか？」

「僕はあの時、婚約パーティを抜け出した橘さんが彼女の元に行き、強く抱き締めただけで、行為には及んでいないと思われます、と言ったじゃないですか」

「あ、はい」

……たしか、本当に行為に及んでいたら、『強く抱いてくれた』ではなくて、『激しく抱いてくれた』と言うに違いないと言っていた。

「おそらく、いたしたのではないかと思います」

「え、ええ？」驚きに声が裏返る。

「誕生日に婚約パーティを抜け出してきてくれたかつての恋人に、涙ながらに『自分たちは別れなければならない』という演出をされては、『最後に』という流れになってもおかしくないわけです。男の方も、『互いに好きだけど別れなくてはならない』という演出をしている以上、無下にも断れなかった。本当にこれが最後、と関係を持ったのではないかと」

「い、いえ、それはホームズさんのあくまで予想ですよね？」

そうあってほしくないという気持ちで言うと、ホームズさんは、ふふと笑った。

「葵さんは女性ですから、男心が分からないんですよ」

「へっ？」

「どうして、橘さんがあそこまで必死に嘘で塗り固めたと思います？　それは、あの夜、間違いを犯してしまったから、あんなに必死に嘘を突き通そうとしたわけです。それに、僕が『行為はなかったと思う』と伝えた時、橘さんは『助かった』という様子で一瞬目を伏せて、拳を握り締めたんですよね」

「ど、どうして、そのことを言わなかったんですか？」

「葵さんが仰ったように嘘で塗り固められては、その人を信用なんてできません。ですが、なんでも本当のことを言うだけが良いわけじゃないとも僕は思います。それに、これはあくまで僕の憶測(おくそく)でして、証拠があるわけではありませんし、僕があの時言ったことも、実際にありえるとも思っています。強く抱き締め合った程度のことだったかもしれません。そんな不確かな予想で、不快にさせる必要はないかと」

「た、たしかにそうですね」

「何より、彼の気持ちが分かってしまって……」

「橘さんの気持ちですか？」

「ええ、男は愚かな生き物ですから。過ちを犯したあとになって、大切な人を失いたくないと必死になって、それを隠そうと嘘で埋めていってしまうんです。……彼が、どれだけ和泉を失いたくないのかが伝わってきまして、つい肩入れしてしまいました」

ホームズさんはそう言って、夜空を仰いだ。

「……ホームズさんは、複雑じゃなかったんですか？」

心配になって尋ねると、ホームズさんは小さく首を振った。

「いえ、本当に終わったことですから。逆にスッキリしたくらいです」

そう言って曇りのない笑みを見せてくれたホームズさんに、心からホッとする。

「……良かったです」

「気遣ってくださってありがとうございます。そうそう、あの時の葵さんの演説、素晴らしかったですね。あなたはやはり真っ直ぐな方だと、改めて思いました」

「え、演説だなんて。それに素晴らしくなんかないです。私はただ、あの時、和泉さんの気持ちがすごく伝わってきて、そうしたら黙っていられなくなっただけで……」

「なるほど、あなたは本当に『感性』の方なんですね」

「感性？」

「ええ、とても感受性が強い方なんだと思います」

「……ど、どうでしょう？」

自分ではよく分からなくて、首を捻った。

ホームズさんは口を閉ざし、遠くを見るような目で、イルミネーションを眺めている。

少し寂しげな雰囲気に、どうしてか胸が詰まった。

「『男は愚か』って、さっき言っていましたけど……ホームズさんも愚かなんですか？」

「ええ、愚かで……そして、臆病者ですよ」

とても穏やかな口調でそう言う。

臆病者だなんて、とてもじゃないけど、そうは思えない。

ジッと、その横顔を見詰めていると、

「ああ、そうだ」ホームズさんはハッとしたように顔を上げた。

「どうしました？」

「今日はクリスマスイブでしたね」

「そうですよ」頷く私に、ホームズさんはコートのポケットの中に手を入れて、カードのようなものを出した。

「心ばかりのものですが、クリスマスプレゼントです」

「わ、わああ、すみません、ありがとうございます。なんだろう？」

ワクワクしながら、中を開ける。すると、『植物園年間パスポート』と『京都市美術館友の会』と書かれたカードが入っていた。

……ええと。本当にこれは、なんだろう？

「前に話していた植物園の年間パスポートと、京都市美術館友の会の会員カードです」

「京都市美術館友の会って？」

「『友の会』のカードは、美術好きは絶対に持っていた方が良い、お得なカードなんですよ」

ホームズさんは力強くそう言って、『京都市美術館友の会』についての説明をしてくれた。

京都市美術館主催の展覧会や、各美術団体の展覧会が無料だったり、割引で観られること。それだけではなく、さまざまな特典があること。

デパートのミュージアムやグランドホールの催しなども、無料で観られることがあること。詳しくはウェブで、という言葉も添えられて。

目を輝かせながら嬉々として説明をしてくれるホームズさんに、圧倒されつつも、なんだか頬が緩んで仕方ない。

だって、なんてホームズさんらしいクリスマスプレゼントなんだろうと思う。

ついクスクスと笑ってしまう。

「どうされました？」

「い、いえ、あまりにホームズさんらしくて。ありがとうございます、とっても嬉しいです。いっぱい利用させてもらいます」

「ええ、ぜひ使ってくださいね。本当は、もっと気の利いたものを差し上げられたら良かったんですが、引かれても困ると思いまして」

「ひ、引かれるだなんて、そんな」

でも、本当にもう十分すぎるくらいしてもらっていて、これ以上もらっては申し訳なさを通りこして、引いてしまいそうだ。

「……あ、そうだ、あの、実は私も心ばかりのものなんですが……」

ホームズさんにもプレゼントのクッキーを持ってきていたことを思い出して、私はいそいそとバッグの中に手を入れて、ラッピングした袋を取り出した。

「えっ？」

ホームズさんは驚いたように目を開いた。

「私、クッキーを焼くのが得意というか好きで、クリスマスプレゼントというにはあまりにお粗末ですが、日頃の感謝をこめて焼いたので、良かったら受け取ってもらえませんか？」

ラッピング袋を差し出すと、ホームズさんは目を丸くしていた。

少しの間、何も言わないホームズさんに、急に決まりが悪くなってしまう。

「い、いろいろしてもらいながら、手作りのクッキーなんて、やっぱりお粗末ですよね。すみません」

本当は私こそ、もっと気の利いたものを贈りたかったのだけど、ホームズさんのような人に何を贈って良いのか分からず、中途半端なものを贈るくらいならと結局、自分が一番得意とするクッキーを焼いて、プレゼントすることにしてしまった。

「い、いえ、嬉しいです。ありがとうございます」

ホームズさんは戸惑ったような表情で袋を手にし、

「……ほんま、あかん」と、独り言のように洩らした。

「……？」

今の『ほんま、あかん』って、どういうことなんだろう？

もしかして手作りのクッキーということで、変に誤解させてしまったんだろうか？

『重いものを受け取ってしまった』と困ってしまっているのかもしれない。

伝えたかっただけのに、迷惑に思われてしまっては、なんにもならないわけで……。日頃の感謝を

「そ、そのクッキーは、店長にも同じものを贈ったんですよ。喜んでもらえました」

焦りが募って『純粋に日頃のお礼です、他意はありませんよ』という気持ちをこめて、そう言うと、ホームズさんはピタリと動きをとめた。

「……そう、ですか」静かに零して、力が抜けたように小さく息をつく。

良かった、どうやら誤解は解けたようだ。

ホッとしつつ、指先が冷たくなったので、両手を口の前で拝むように擦り合わせていると、ホームズさんが、そっと私の両手を挟むように包んだ。

「っ！」

驚いて視線を合わすと、ホームズさんは、強い眼差しでこちらを見ている。

「……手、真っ赤ですね。手袋してこなかったんですか？」

「は、はい、急いで家を出たので、忘れていて」

そう言うホームズさんも手袋をしていない。それでも、その手はとても温かった。

「これは可哀相に、氷のようですよ」

優しく私の手を包む、ホームズさんの大きな手。

冷たかった指先に、血が巡って（めぐ）いく。

指先どころじゃなく心臓がドキドキと早鐘を打って、全身が熱くなる気がした。

「あ、あの、ホームズさん……？」

「……葵さん」

「は、はい？」

動揺に目を泳がせている私に、ホームズさんが口を開きかけた時、

「――もしかして、清貴くんに葵さん？」

前方から声がし、私たちはビクンと肩を震わせて、パッと手を離した。

声のした方に顔を向けると、そこには和泉さんと橘さんの姿。手をつなぎ、幸せそうな笑みを浮かべていた。

「和泉さんに橘さん！」

そんな二人の姿に心からホッとした。橘さんの所業には複雑な気持ちにさせられたけど、こうなった以上、二人には幸せになってもらいたいのが正直なところだ。

「ホームズさん、良かったですね」

振り向くと、ホームズさんが額に手をあてて、項垂れていた。

「ど、どうしたんですか？」

「……いえ、なんでもないです。そうですね、雨降って地固まったようで良かったですね」

ホームズさんは顔を上げて、にこりと微笑んだ。

和泉さんと橘さんは、いそいそと私たちの元に歩み寄って、揃って頭を下げた。

「清貴くん、葵さん、この度は、本当にご迷惑をおかけしました。ほんまにおおきに」

「……本当に、いろいろとありがとうございました。葵さんの言葉が、胸に響きました。自分は自分勝手な不誠実さから、前の彼女も和泉も傷付けてしまいました。今後はそれを決して忘れずに、誠実でありたいと――、和泉を幸せにしたいと思ってます」

強い眼差しを見せる橘さんに、私たちは『うんうん』と頷き、

「――どうか、お幸せに」と、心からの言葉を贈った。

礼拝堂から流れてくる讃美歌の美しい歌声は、すべての罪を赦す響きを持っている。

柔らかく点灯するイルミネーション。ヤドリギの下、想いを通わせる恋人たちの笑顔がとても眩しかった――それは幸せなクリスマスイブの夜。

第三章　『祇園に響く鐘の音は』

1

十二月末。

師匠も走る月も大詰めで、私もそれなりに忙しい毎日を送っていた。

「――もう年の瀬なんて、早いですよねぇ」

私は棚の整理をしながら、シミジミと呟く。

今年の三月にこの店に来て、春、夏、秋と過ごし、いろいろなことがあったけれど、今となってはアッという間だ。こうして、また、すぐに春が巡ってくるのだろう。

すると、本棚の整理をしていたホームズさんが、「そういえば」と振り返った。

「葵さんは、来年には受験生ですよね？　どこの大学に進学を希望しているんですか？」

「えっと、いろいろ考えてはいるんですけど、まだ定まってないんですよね」

まだまだ先だと思っていた大学受験。気が付くと来春には受験生になるわけで、もういい加減、決めなくてはならない頃だ。

京都の大学に馴染みがなさすぎて、ピンと来ないのもあったり。

うーん、と唸っていると、ホームズさんがふふっと笑った。

「前にも話題に出た、京女や同女やダム女なんてどうでしょうか？」

「どこも本当に人気の女子大ですよね。うちのクラスでも希望している子は多いです」

「香織さんは？」

「香織は府大を目指しているみたいです。ホームズさんと一緒ですね」

ホームズさんは京都府大に入学して、院から京大に移ったクチだ。

「府大ですか、香織さんらしいですね」

「ですよね。私も、もう少し勉強をがんばって、府大を目指すのもいいかなと思ったり」

「さらに勉強をがんばって、京大を目指すというのはどうでしょう。現役で京大に入学するという、僕の果たせなかった夢を代わりに叶えていただけませんか？」

「そ、それは無理ですよ」

目を丸くする私に、ホームズさんは愉しげに笑った。

「まだ少し時間はありますし、ゆっくり進路について考えるとよいと思いますよ。京都には良い大学がたくさんありますし」

「はい」と、強く頷く。

大学か……、私も本当にそろそろ考え始めないと。

その時、カランとドアベルが鳴って、

「おう、清貴！」とオーナーが勢いよく店内に入ってきた。

「これは、オーナー、お帰りなさいませ」

ホームズさんは、満面の笑みで頭を下げる。

オーナーは仕事でずっと東京に行っていると聞いていたから、おそらく今帰ってきたんだろう。ホームズさんのこの笑顔を見る限り、きっと良い仕事をしてきたにちがいない。

「久々のデカい仕事で、疲れたわい」

オーナーはわざとらしく大きく息をついて、ドッカリとソファーに腰を下ろした。

やっぱり、随分と活躍してきたようだ。

「お疲れ様です。今、コーヒーを淹れてきますね」とホームズさんは裏の給湯室へと入っていき、私はいそいそとオーナーの元に向かい、ペコリと頭を下げた。

「オーナー、お疲れ様でした。お久しぶりですね」

「おう、葵ちゃん、元気そうやな。せやせや、あの『書（しょ）』見てくれたか？」

オーナーは、目を輝かせて、店内の壁に飾ってある『書』を指した。

それは、オーナー自らが書いた平兼盛（たいらのかねもり）の『しのぶれど　色に出でにけり　わが恋は　ものや思ふと　人の問ふまで』という歌。

「あ、はい。相変わらずの達筆ですね」

「おおきに、ほんで、ええ歌やろ」

「はい、切なく秘めた恋の歌ですよね」

「せやねん、若者が恋心を内に秘めている姿は、ほんまに見応えのあるもんやわ」

オーナーはシミジミと言って、私に視線を移したかと思うと、ニッと笑みを見せた。

その意味深な態度に、ドキン、と心臓が嫌な音を立てる。

今の言葉と微笑みは、なんだろう？

も、もしかしてオーナーは、私がホームズさんに秘めた想いを抱いている、と思っているのだろうか？　それで、そんなことを言うのだろうか？

たしかに私は『気持ちに一線を引く』と言いつつ、ついホームズさんに見惚れてしまったり、時々ドキッとさせられてしまうことはあるけれど、それはホームズさんが反則(はんそく)京男子だからであって、仕方ないというか、不可抗力だ。

せっかく今、心地の良い関係でいられているのに、オーナーを筆頭に、『蔵』の人たちに、ホームズさんに恋をしているなんて思われてしまっては、私はいたたまれなさから、『蔵』にいられなくなってしまう。

――それは、絶対に嫌だ。

「そ、そうですね。私は想いを秘めたことがないので、よく分からないですけど」

誤魔化そうと、私は軽く笑ってそう言った。

上手く誤魔化せたかどうかは分からないけれど、ありがたいことに、ホームズさんは奥でコーヒーを淹れていて、今の会話は聞こえていないはずだ。

「ま、ええわ。ほんで、話は変わるんやけど、葵ちゃん、大晦日、うちに来ぃひんか？」

「大晦日ですか？」

「そうや。うちで大パーティするんや」

得意満面で頷くオーナーに、トレイを手にコーヒーを運んできていたホームズさんの目から、スッと笑みが消えた。

「――大パーティをする？　そんなの誰がいつお決めになったんですか？」

口元は笑みの形を描いたまま。

それでも、威圧と怒りのオーラが放たれていて、背筋が寒くなる。

「そ、そんなん、ワシや！　ワシが決めたに決まっとるやんけ！」

オーナーも恐ろしいのか、目を合わせないままにそう言った。

「そんな面倒な……いえ、凝ったことを企画されなくても、今年もいつものように温泉でも行かれてはいかがでしょうか？　たまりにたまった一年の疲れが取れますよ。なんなら僕が宿を確保いたしますので。富士山の見える宿なんてどうでしょうか？　ご来光も望めるかもしれませんよ」

「いやや、うちでパーティするんや！　ワシは今年、いたくいたく悔しい思いをしたんや！」

「悔しい思い？」私とホームズさんの声が揃う。

「そうや、ワシの誕生日パーティはいつものように、うちにある美術品を客人たちに披露して、その後は立食パーティで終わったやろ？」

「……はぁ」

「それなのに、あのクソジジイの誕生日には『真贋判定ゲーム』なんて粋なことをしおって！　どこに行っても、あのゲームは楽しかったと持ちきりや！」

『あのクソジジイ』というのは、同じ鑑定士の柳原先生のこと。

そう、秋に嵐山近くにある柳原邸で誕生日パーティをした時、『真贋判定ゲーム』という催しをして、大層な盛り上がりを見せたんだ。

ついでに言うと、その真贋判定ゲームを柳原先生に進言したのは、円生なのだけど。

「そのリベンジや！　ワシも大晦日パーティを開いて、ゲームをやりたいんや！」

「……真贋判定ゲームをですか？」

「そんなん、クソジジイの真似は嫌やねん」

「――それで、僕に企画をしろと？」

さらに不快な表情をあらわにするホームズさんに思わず笑ってしまう。

ホームズさんのこんな顔って、滅多に見られるものじゃない。

他に見せるとしたら、秋人さんくらいだろうか。

「ちゃうねん。お前なんかに期待しとらん。お前の頭の中は古い知識でいっぱいや。先人の知恵の塊で、若いのに年寄りのような男やで。お前には新しさやワクワクがないねん」

オーナーも遠慮がない。

「ええ、僕は京男、いえ、京男子ですからね」

ホームズさんは、気にもしていないようにサラリと言った。

「で、上田はんにお願いしたんや。ワシがどれほど、悔しい思いをしたのかも伝えた上でな」グッと拳を握りしめるオーナー。

「……上田さんは上田さんで、忙しい人なのに、そんなしょうもないことを相談されたんですか？」

心底呆れたような目を見せるホームズさんに、オーナーは鼻をフンッと鳴らした。

「ええねん、あいつは身内みたいなもんやで。あいつはようパーティに参加するらしく、他ではどんなことをやっとるのか聞いたんや。というわけで、大晦日のパーティでは派手にゲームをするで」

オーナーは目をキラキラさせ、両拳を握りながら、天井を仰いだ。

「……いつまでも、瞳が少年のようで、本当に羨ましい限りですね」

遠くを見るように目を細めるホームズさんに、また笑ってしまう。

「でも、なんだか面白そうですね。どんなゲームなんですか？」

「それはまだナイショや。とりあえず、なんでもええからあのクソジジイのパーティより も派手にせな！　そんなわけで、あとで詳しいことを話すで清貴、いろいろ頼むな」

と、オーナーは片手を上げて、そのまま逃げるように店を出て行った。

「…………」

気が付くとカウンターに突っ伏しているホームズさん。

「……えっと、大丈夫ですか？」

「あんな祖父を持つと、『若年寄り（わかどしより）』にもなる気持ち、分かってもらえますか？」

突っ伏したまま静かに洩らしたホームズさんに、「はい」と頷いた。

「でも、私は楽しみです」

「……葵さんが、そう仰るなら、僕も準備をがんばろうかと思います」

ホームズさんは、むくりと起き上がり、小さく息をついた。

2

そうして、アッという間に、十二月三十一日。大晦日を迎えた。

大晦日の今日も、骨董品店『蔵』は夕方五時まで営業している。

その後は家頭邸に移動して、大晦日のパーティに参加するという予定だ。

店内には珍しく店長とホームズさんが揃っていて、ホームズさんは二階の掃除、店長はカウンター側の本棚の整理、私は棚から商品を下ろして埃を取ったり拭いたりと、ちょっとした年末大掃除モードだ。

アーケードは今までにない賑わいで、たくさんの人が行き交っているものの、『蔵』に入ってくるお客さんはほとんどいない。

ある程度の掃除を終えて、ふぅ、と息をついた時、二階からトントンとホームズさんが階段を降りてくる足音が聞こえてきた。

「二階の掃除は終わりました。お父さん、もう行こうと思うんですが、葵さんと一緒に出ても大丈夫ですか？」

「ああ、今年一年ご苦労さま。ゆっくりしてくるといい」

カウンターを拭きながら、にこりと微笑む店長。

「えっと、どこに行くんですか？」

そんな二人に、私は戸惑いながら首を傾けた。

「僕はパーティの準備があるので、先に店を出るんですよ。良かったら葵さんも一緒にと思いまして。どうでしょうか」

「は、はい、ぜひ」

強く頷き、置いていかれないことを知りつつも、慌ててエプロンを外した。

着替えや準備を済ませて、「お先に失礼いたします」と店長に一礼し、店の外に出る。

商店街はやはり、とても賑わっている。

「こっちです」

アーケード内を南へ、四条方面に向かって歩き出すホームズさん。

さらに人が多い方だ。

「えっと、どちらへ？」

「錦市場ですよ。ですが、その前に、せっかく時間もありますから、この界隈を散策しませんか？」

「この辺りをですか？」

「ええ、新京極通に『新京極八社寺（しんきょうごくはちしゃじ）』というのがあるんです」

新京極通は寺町通と並行した、ひとつ東側の縦道となる。

寺町三条付近は、いくつもの商店街が交差し並行している。アーケード街はつながっているものの、商店街それぞれに雰囲気が違っていて面白い。ちなみにそんなアーケードの中でも、新京極商店街あたりが、一層賑やかで観光客も多い気がする。

『ホームズさん、新京極の方が、若々しくて華やかですよね？』

と、以前、思わず口にしてしまった時に、

『シッ、葵さん、それは言うたらあかんやつや』と言われてしまった。

どうやら、禁句だったようだ。

「——新京極通には、八つのお寺と神社が並んでいるんですよ」

ホームズさんは歩きながら、説明してくれた。

新京極通には、誓願寺、誠心院、西光寺寅薬師、蛸薬師堂永福寺、安養寺倒蓮華、善長寺、錦天満宮、染殿院と八つの社寺があるそうだ。

普段、通り過ぎてしまうような小さな入口に細い小道を通って入る寺院も多いのだけど、すべて歴史のあるもの。

それらを詣ることを『八社寺詣り』と呼ぶらしい。

「せっかく錦市場まで行くことですし、そのついでと言ってはなんですが、一年の労いと来年への活力に八社寺詣りをしたいと思いまして」

「わぁ、素敵です」

「良かった。それでは、手前の誓願寺から行きましょうか。誓願寺は主に『芸道上達』のご利益があることで知られているんです。芸事ということで、芸能人の方もよく来られているとか」

「すごいですね」

少しウキウキしながら、八社寺最初の寺、誓願寺へと向かった。

新京極を南に向かって歩くと、左側に『誓願寺』が見えてくる。

白い門に朱色のラインが鮮やかな、とても綺麗なお寺だ。

「誓願寺は、落語発祥の寺とも言われているんですよ」

「本当に芸事のお寺なんですね。秋人さんとか、ここを参拝したらいいのに」

「本当ですね」

クスクス笑って門をくぐり小さな境内を通る。

靴を脱いで畳が敷かれた本堂に入ると、金色の阿弥陀如来に、天井から吊り下げられた同じく金色の灯籠や天蓋が目に入った。

「——このままの勢いで、さらに有名になれますように」

パンッと手を合わせて、本堂に響くような声で願い事を口にしている人がいた。

明るめの色の髪に、割とスマートな後ろ姿。

見覚えがある背格好だ。

「…………」

思わず動きを止めて、私たちは顔を見合わせた。

「——ああ、そうだ。葵さん、『御朱印帳』はお持ちですか？」

ホームズさんはその見覚えのある人物については触れずに、違う話題を振ってきた。

「あ、いえ、持ってないです」

「もし良かったら、これを」と、新しい朱印帳を出してくれる。

薄紅色の朱印帳。これは、『蔵』に置いてある商品のひとつだった。

「わ、わあ、ありがとうございます」

そんなやりとりをしていると、

「おっ、ホームズに葵ちゃん！」

今まで本尊に手を合わせていた人物——秋人さんが目を輝かせて振り返った。

「……お久しぶりですね、秋人さん。奇遇というか」

ホームズさんは諦めたように静かに言う。

「奇遇っていうか、お前の店に行くところだったんだよ。そうしたら、『新京極八社寺詣りをしませんか？』って冊子をもらって。芸能のご利益があるっていうから、これは行くしかねーだろと思ってよ」

秋人さんは、いつものように勢いよくホームズさんの肩に手を回した。

「いちいち、肩を組まなくていいですよ。僕たちはこれから合掌するんですから」

ホームズさんは埃を払うようにその手をのけて、本尊の前に正座した。

私は慌ててその隣に座って、手を合わせる。

ここは主に芸道上達にご利益のあるお寺で、私には縁遠い気もするけれど、もう少し何か特技みたいなものがほしいから、お願いしておこう。

手を合わせて、そっと顔を上げ、『さて、次に行こう』と誓願寺を出ると、

「ちょ、待ってくれよ、ホームズ」

秋人さんが追いかけて来た。

「あなたは『蔵』に行くんですよね？　でしたら、方向が違いますよ」

とホームズさんは、寺町三条方面を指す。

「たしかに『蔵』に行こうとしてたけど、俺はお前に会いに来たんだよ。家頭家の大晦日のパーティだって、呼ばれてるし」

その言葉に、ホームズさんはピタリと足を止めて振り返った。

「……秋人さんも呼ばれたんですか？」

「ああ、この前オーナーから電話がきて」と言って、得意げな顔を見せる。

「今、売れてきていて忙しいのに、大丈夫なんですか？」

「それが、昨日大阪で撮影があって、年明けすぐに京都での仕事が入ってるから、丁度良かったんだよ」

「そうですか。それは、わざわざありがとうございます。パーティは夕方五時からを予定してますので、ぜひ、その頃に家頭邸にお越しください。心よりお待ちしております」

ホームズさんはペコリと頭を下げながらも、すぐに踵（きびす）を返して歩き出そうとした。

「って、待てよ！　どこ行くんだよ」と秋人さんは、ホームズさんの腕をつかんだ。

「どこって、準備の買い物を兼ねて、葵さんと八社寺詣りですよ」

「それじゃあ、俺も行く」

「いつも付いて来なくていいですよ」

「ほらほら、八社寺詣りを番組に提案できるかもしんねーし」

「一人で詣ったらどうですか」

冷たく言い放つホームズさんに、「え、えええ」と秋人さんは悲しそうな目を見せた。

捨てられた子犬のような雰囲気で、少し可哀相になってしまう。

「え、えっと、ホームズさん、せっかくですから、三人で回りましょうよ。たくさんの方が楽しいですし」

「葵ちゃん、マジで天使」

そう言うと、秋人さんの顔はパッと明るくなった。

ホームズさんは『仕方がない』という様子で、力なく息をついた。

「……そうですね、たくさんの方が楽しいですよね。分かりました」

そうして、私たち三人で『新京極八社寺詣り』を始めることとなった。

誓願寺を出て南に向かって少し歩くと、また左側に『誠心院』の小さな入口があった。

「ここは、和泉式部(いずみしきぶ)が初代住職を務めたという、縁(ゆかり)の寺なんですよ」

と、いつものように説明してくれる。

秋人さんは寺の入口にある、経が刻まれた石の輪の前で足を止めていた。

なんだろう、と首を伸ばすと、

『鈴成り輪（すずなりぐるま）。お願いをしながら車を回してください』という説明書きも目に入る。

「これは和泉式部の古い灯籠の竿と台座を使っているもので、『魔尼車（まにぐるま）』とも呼ばれているんです。一回、回せば経典（きょうてん）を一回読んだ功徳（くどく）が得られるといわれているんですよ」

ホームズさんは石の輪に手を乗せて、クルクルと回すとチリンチリンと鈴の音が鳴った。

「へええ、ちょっ、回させてくれよ」

ホームズさんを押しのけるようにして、秋人さんは鈴成り輪の前に立ち、

「大成しますように、大成しますように、大成しますように」

左手で輪をチリンチリンと回して、右手をかざしながら熱心に言う。

「……秋人さん、一生懸命ですね」なんだか感心してしまう。

「ええ、ですが、自分の願いに懸命すぎるがゆえに、人を押しのけているようでは前途多難でしょうね」

笑顔のままそう言うホームズさんに、秋人さんは硬直し顔色を失くしていた。

相変わらずな単純さが微笑ましくて、頬が緩んでしまう。

門のところには、『知恵授け（ちえさずけ）、恋授け（こいさずけ）』という文字も掲げられていた。

「ここは、主に知恵と恋なんですね。知恵と恋って、真逆のような気がするんですが」

「ええ、和泉式部は聡明で、そして恋多き女性としても知られています。分かっているだけでも、十人以上の男性と恋の遍歴(へんれき)を重ねたそうです」

境内に入りながらそう話す。

あの時代に十人以上の男性と恋を……。圧倒されている私の横で、

「十人って、そんなに多いか？」秋人さんが小首を傾げた。

「まあ、古風な時代ですからね」

「そっか。で、葵ちゃんは何人？」

ニッと笑って顔を覗く秋人さんに「え？」と頬が熱くなった。

するとすかさず、ホームズさんが秋人さんの顎(あご)をつかんだ。

「――失礼なことを言うのは、この口でしょうか？」

笑みを浮かべたまま手に力を込める。

「いひゃいいひゃい、ごめんなひゃい！」

「まったく、あなたは。葵さん、失礼しました」

ホームズさんはスッと手を離して、ハンカチでその手を拭う。

「だ、大丈夫ですよ。秋人さんのセクハラには少し慣れましたから」

「セ、セクハラって言うなよ、葵ちゃん」

「しかし、慣れるのも問題ですね」

眉を寄せて肩を上下させるホームズさんに、「たしかに」と笑ってしまう。

「それでは次に行きましょうか」

そのまま私たちは、西光寺寅薬師、蛸薬師堂、安養寺、善長寺と詣っていった。

西光寺寅薬師は、開運・厄除け・無病息災。寅の御守や置物がとても可愛いらしい。

蛸薬師堂は、病気平癒・厄難消除で、その名の通りタコが置かれていて、頭を撫でて厄を吸い取ってもらったりもした。

安養寺は、無病息災・家運隆盛、祈願成就。

善長寺は、無病息災に延命、そして吹き出物よけのご利益があるとか。

学業の神様である菅原道真を祀っている『錦天満宮』まで来た時には、さらにすごい人だった。それもそのはず、右に曲がると、そこは『錦市場』。

そう、錦天満宮は、錦市場の突き当たりにあるという感じだ。

来年受験生である私は、学力向上のお願いをして、『染殿院』に向かった。

「ここが、八社寺詣り、ラストです。ここは子宝にご利益があるとか」

高校生の私や独身の男性二人にはまだ縁遠い話だけど、ここはとりあえず、という感じで三人並んで手を合わせた。

「しかし、芸能から恋愛、開運、祈願、厄除け、吹き出物に学業、子宝まで。この八社寺だけで全部のご利益があるって感じだな」

境内を出ながらシミジミと言う秋人さんに、「本当ですねぇ」と頷いた。

『新京極八社寺詣り』

ここのアーケードは何度も歩いたことがあるというのに、今まではお寺の存在を気にも留めていなかった。

八社寺詣った今、すごく充実した気持ちというか、結構な観光をしてきた気分だ。

「それでは、次は戦場ですよ」

強い口調で言うホームズさんに、私たちは「へっ？」と顔を上げた。

「大晦日の錦市場ですから」

錦市場に目を向ける。そこは文字通り、人で埋め尽くされていた。

「葵さん、ここは本当にすごい人ですから、はぐれないようにしてくださいね」

ホームズさんは、私の両肩に手を置いてそう言い、

「秋人さん、もしはぐれてしまったら、そのまま解散ということで。夕方、またお会いしましょう」秋人さんに視線を移して、片手を上げた。

「おい、葵ちゃんとの格差、酷すぎだろ！」

「そうですか？」

「その上、故意にはぐれようとしてねーか？」

「本当に勘だけは鋭いんですね」

「って、マジか！」

「冗談ですよ」シレッとそう言う。

……きっと、半分くらいは本気だったに違いない。

「ですが、ここは本当に戦場なので、心してかかって下さいね。縦一列でしか歩けないので、葵さんは僕のすぐ後ろに」

ホームズさんは、そのまま人でごった返す小路『錦市場』へと入っていった。

「へい、らっしゃいらっしゃい！」

景気の良い掛け声が飛び交う。

錦市場は、鮮魚店だけではなく、さまざまな店が並んでいた。

靴屋、漬物屋、酒屋、精肉店、餅屋、八百屋に寿司屋に乾物屋。ガマ口財布のお店、花屋に陶器屋に和スカーフに草履屋。ゴマの専門店、ちりめんじゃこの店、七味専門店。

いろんなお店があってとっても楽しい……けれど、もう、それどころじゃないすごい人！

満員電車の中、なんとか進んでいく感じだ。

「おばちゃん、清貴です！」

出し巻卵専門店の前で、声を張り上げたホームズさんにギョッとしてしまう。

「あいよ、清貴ちゃん、毎度おおきに。誠司さんによろしくね」とすでに用意していたらしいビニール袋を、ホームズさんに渡す。ホームズさんは、ガマ口の財布からお釣りの出

ない金額を素早く渡して、そのまま突き進み、

「どうも、清貴です！」と、今度は豆腐屋さんで、生麩（なまふ）を買っていた。

そんな調子で、ホームズさんは他にひろうす、白味噌、丸餅、鯖寿司、ニシンの昆布巻き、金時人参、九条ネギ、鴨肉等を買っていく。

そして上を見上げて、

「葵さん、こっちです」陶器屋に入ったかと思うと、その隣の階段を上がった。

「ちょっ、どこ行くんだよ」

人だかりの中から、もがくように這い出て、追い掛けて来る秋人さん。

階段上には、少しレトロな喫茶店があった。

店内はそれなりに人はいるものの、満員ということはなかった。

「……錦市場の上に、こんなカフェがあるなんて」

驚く私に、ホームズさんはくすりと笑って、窓側のカウンター席に腰を下ろした。

「ここから、錦市場を見下ろすことができるんです」

その言葉に私はカウンターに手をついて、窓の下を見た。

「う、うわ、すごい！」

賑やかで狭い商店街に、真っ黒な人の波。

「すげぇ、圧巻だな」

秋人さんも少し興奮気味に洩らす。

「こんなに下は混んでいるのに、この席が空いているなんて不思議な感じですね」

「大晦日に錦に来る方は、ほとんど観光客でしょうし、上を見る余裕もないのでしょう」

「いやいや、長く京都に住んでた俺も、こんなところにカフェがあったことも知らなかったし」

ホームズさん、私、秋人さんと、並んで窓際のカウンターに座る。

いつものようにホームズさんと秋人さんはコーヒーで、私はカフェオレを頼んだ。

しばらくして、飲み物とともにケーキが二つ一緒に運ばれてきて、私は首を傾げた。

「あれ、ケーキなんて頼んだかな？」

「あ、それは、僕が後から頼みました。葵さんと秋人さんに」

コーヒーカップを手に、優しく微笑むホームズさん。

「え、俺まで？」

少し戸惑ったような目を見せる秋人さんに、ホームズさんはコクリと頷いた。

「あなたは疲れが溜まると、随分と僕にまとわりつきたがる傾向にあります。少し甘い物でも食べて、疲れを癒してください」

「ホームズ……」秋人さんは感激したように目を潤ませた。

裏を返せば、『甘い物でも食べて疲れを取って、僕にまとわりつかないでくれ』ってことなんだけどね。

「やっぱ、ホームズはなんだかんだ言って優しいよなぁ」

嬉しそうにケーキを食べる秋人さん。

まぁ、実際、秋人さんに対して手厳しいようで、なんだかんだいって優しいことは確かかもしれない。

私もケーキをそっと口に運ぶ。人の波にもまれていた疲れが癒される気がした。

あの人だかりの中にいたんだもの、大変なことだよね。

(あんな中、スムーズに買い物をしていたホームズさんもすごいけど)

上から見下ろす錦市場の様子は、すごく新鮮でどこか不思議で、またひとつホームズさんに京都の素敵な場所を教えてもらった気分だ。

秋人さんはバクバクとケーキを食べて、コーヒーをゴクリと飲み、ふぅ、と息をつき、

「……ここのコーヒーも美味いけど、俺はお前の淹れてくれたのが、やっぱり好きだな」

カップを見詰めながら、独り言のように洩らした。

「それは光栄です。後で淹れて差し上げますよ」

少し嬉しそうに言うホームズさんの顔を見たあと、私はそっと自分のカップに視線を落とした。

私はいつもカフェオレ。ホームズさんの淹れてくれたカフェオレは、とても美味しいけ

れど、みんなが絶賛するホームズさんのコーヒーをブラックで飲めるようになりたいな。

人の途切れる様子がまったくない錦市場を見下ろしながら、私はなんとなくそんなことを思っていた。

3

そうして、私たちは人でごった返していた錦市場をなんとか抜け出て、御池地下駐車場に停めてある社用車に乗り、哲学の道近くの家頭邸へと向かった。

久しぶりの家頭邸。

石造りの洋館は、何度見ても迫力がある。

家頭邸の玄関の扉は真冬にもかかわらず、開放されていて、たくさんの人が行き交っていた。

「えっと、もうお客さんが？」

驚く私に、ホームズさんは小さく首を振った。

「いえ、祖父が頼んだお手伝いの方々ですよ。好江さんが指揮を執ってくれているんです」

よく見ると、エプロン姿の人ばかり。

ホームクリーニングの方や仕出し屋さん、といったところだろうか。

「どうぞ」ホームズさんの後に続いて、

「お邪魔します」と家頭邸に入ると、スタッフに指示を出している好江さんの姿が見えた。

「そうそう、ホールの壁にはミュシャを飾ってね。その長テーブルはもっと端に」

指示通り動くスタッフ。

壁にはミュシャのリトグラフが飾られ、扉の横には大きな柱時計……かと思えばオルゴール。出窓にはアンティークな地球儀に、ブリキで作られた車の模型が『Porsche A.G.』『Lamborghini』『Volkswagen』『volvo240』『MINI COOPER』という札とともに並んでいて、このホールは以前よりも遊び心に溢れている。

「好江さん、ありがとうございます。手伝いますよ」

歩み寄ったホームズさんに、「あら」と好江さんが振り返った。

「もう帰ってきたのね、お帰りなさい。葵ちゃん、秋くん、いらっしゃい。清貴、ここは大丈夫だから、葵ちゃんと秋くんをもてなしてあげてちょうだい。清貴も少し休んで。いつも忙しくしているんだから」

そう言ってポンポンッとホームズさんの背中を叩く。

なんだか、こうしていると本当に親子みたいだ。

(好江さんの見た目は若いんだけど)

そんな好江さんを前に、デレッと頬を緩ませる秋人さん。

「こんにちはっす、好江さん。相変わらずお綺麗ですね」

「うふふ、ありがとう、秋くん。テレビ、いつも観てるわよ。大活躍ね」

「いやぁ、好江さんにそう言っていただけると」

その時、「あのー、これはどこに？」と業者さんが声を上げて、好江さんは振り返った。

「それは、その端にお願い。ほらほら、三人とも、今ここにいられても邪魔だから、二階のリビングでも行っててちょうだい」

シッシと手で払うようにして、イタズラに微笑む。

やっぱり好江さんは、素敵な人だなと思った。

「葵さん、秋人さん、こっちです」

一階突き当たりまで歩くと、二階へと続く階段があった。

そこに玄関スペースと靴箱があり、私たちはスリッパを履いて、階段を上る。

思えば家頭邸の居住スペースに足を踏み入れるのは、はじめてだ。

階段を上りきると、広々とした空間に出る。

大型テレビに、ヨーロピアンなソファーにチェスト、観葉植物。天井にシャンデリア、壁には大きな絵画、あちこちに花瓶に壺に水差しが飾られている。

どうやら、ここがリビングのようだ。

「へー、海外のホテルのスイートルームっぽいリビングじゃん」

私と秋人さんは、興味津々でリビングを見回した。

リビングに飾られている美術品すべてが、価値のある素晴らしい品であることが伝わってきて、恐ろしくて近付きたくはない。

高価な品を避けるように壁際に立つ。

大きな窓からは、哲学の道が俯瞰(ふかん)できた。

「わあ、哲学の道ですね」

出窓に手をついて感激の声を上げると、すぐに秋人さんがやって来て強く頷いた。

「すげぇなぁ」

「本当ですねぇ」

ひたすら感心していると、コーヒーの香りが鼻腔(びこう)をかすめる。

「どうぞ」

いつの間にかホームズさんが、コーヒーとカフェオレを淹れてくれていたようだ。

ああ、しまった。

『これからは、私もコーヒーを飲むようにします』って、言おうと思ってたのに。

でも、相変わらず、ホームズさんの淹れてくれたカフェオレは最高に美味しい。

「あー、ホームズのコーヒー、美味ぇ」

声を上げながらコーヒーを飲む秋人さんの姿に、やっぱり今度はコーヒーをお願いしよう、と決意を新たにカフェオレを口に運んだ。

「あと、一時間ほどでパーティも始まりますし、どうぞテレビでも観てゆっくりされてくださいね。秋人さんの番組も録画してますよ。再生しましょうか」と、テレビのリモコンを手に、にこりと微笑む。

「あの、私、ホームズさんのお部屋を見てみたいです」

少し身を乗り出して言うと、ホームズさんはピクリと眉をひそめた。

「え……僕の部屋、ですか？」

見るからに、少し嫌そうな雰囲気。

「おっ、なんだよ。エロ本で溢れてるのか？」

秋人さんが嬉しそうに目を輝かせた。

「いえ、そんなものはありませんよ。ただ、お客様が僕の部屋に入ることを想定していなかったので、片付いていなくて」とホームズさんは苦笑した。

確かに、以前家頭邸を訪れた時にもホームズさんの部屋には入らなかった。

というか居住スペースにすら入らなかったから、今回も同じことになると思っていたんだろう。

好江さんがああ言ってくれなかったら、私たちはここまで来てないだろうし。

とはいえ、ホームズさんのことだから、部屋はピカピカなんだろうな。

きっと、部屋に招きたくないのは、別の理由があるに違いない。

「えっと、それじゃあ、お部屋はまた今度にして、秋人さんの番組を観ましょう」

うん、と頷いて、私がリモコンを手にすると、

「いえいえ、大丈夫ですよ。ただ、散らかってて申し訳ないですが」

ホームズさんはスッと立ち上がり、そのまま歩き出した。

私たちは、ホームズさんの後を追って、リビングから廊下に出る。

石の壁のせいか、空気がヒヤリと冷たい。

「なぁ、本当にエロ本とかねぇの？」

廊下を歩きながら、弾んだ声で尋ねる秋人さん。

「ありませんよ」

「マジで？」

「ええ、そうしたものは、紙媒体(かみばいたい)で買ったりしません。すべて電子書籍(でんししょせき)です」

サラリと言うホームズさんに、私と秋人さんは絶句した。

「……そうか、タブレットの中に」呆然と洩らす秋人さん。

「ええ、暗証番号もあって、いろんな意味で安全ですよね？」

「たしかにそうだよな。膨大なデータ量を簡単に持ち運べるしな。さすがホームズ」

「そんなことに、『さすが』とか言わないでください」

いきなり男子トークを始める二人に顔が引きつってしまう。

「えっと、二人とも？」

「失礼しました。これはここだけの話に」

シーッと口の前で人差し指を立てるホームズさんの姿に、思わず頬が熱くなる。

こんな話のあとにドキッとさせられてしまうなんて、なんだか悔しい。

「まったく、秋人さんのせいですよ。女性の前でなんてことを言わせるんですか」

「えっ、俺のせいなのかよ」

廊下の突き当たりにホームズさんの部屋はあった。

ダークブラウンの木の扉に、真鍮(しんちゅう)のドアノブがこの洋館らしいレトロさだ。

きっと整然(せいぜん)とした、隙のない美しい部屋なんだろう。

少しドキドキしながらカチャリと扉を開き、私は大きく目を見開いた。

その部屋はホームズさんの言葉通り、本当に……散らかっていた。

散らかっているというか、本の山だ。机の上には書類の山、ベッド脇のチェスト、床の上に美術雑誌や文献と思われる分厚い本が積み上がっている。それ以外は綺麗にしているかもしれないけど、本がこんなにあちこちにあるだけで、とてつもなく雑然として見える。

「うわ、ホームズ、マジで散らかってんのな」

「だから言ったじゃないですか。人を招けるような状態じゃないんですよ」

ホームズさんは悪びれもしない。

「で、でも、どうしてこんなに散らかっているんですか？　店とかリビングとか、あんなに綺麗にしているのに！」心からそう問うた。

「店は商売の場所ですし、リビングやキッチンは共同スペースですから。ここは僕一人の誰にも迷惑かけない空間です。本が積まれているのは、読んでおきたい資料がたくさんあるためでして。机の上で本を読んで勉強して、そのままベッドに移動して、読みながら寝たりするんです。目を覚まして、また手を伸ばせば読みたい本に手が届く。とても合理的でしょう？　僕の特技は積み上がった本の中から目当ての本をすぐに見つけ出して、スッと抜くことです」

そう言って、ホームズさんは本の山から、スッと本を抜き、『ほら』と得意げにこちらを向く。

――って、ホームズさん。

「散らかっていますが、しっかり埃は取ってますしね。八坂の僕の部屋はここよりずっと綺麗ですよ。この屋敷にはたくさんの資料があるので、つい欲張って読みふけってしまうんですよね。お客様を招くのでしたら、事前に綺麗にしておいたんですが」

……って、ホームズさん。

「あ、ついに幻滅されてしまいましたか？」

何も言わない私に、ホームズさんは少し心配そうに顔を覗いた。

その姿にプッと笑ってしまう。

「いえ、いつも驚かされて面白いです。そして、少しホッとしました。ホームズさんって、隙がなくキチンとしているようで、こんな面もあるんだって」

そう、ピカピカの店内。キチンと整えられた本棚に美術品。

いつもスマートな姿ばかりだけど、あれは全部表の顔で……、自分一人の部屋は雑然と散らかっていて、その中で、平気で過ごしていたりするわけだ。

なんだか意外だけど、それもまたホームズさんらしくて笑ってしまう。

「良かったら、片付けるの手伝いましょうか？」

「いえ、これはこれで僕には使いやすいので大丈夫です」

なんて即答するホームズさんに、また笑ってしまった。

「しっかし、一体なにをそんなに読んでるんだよ？　美術に関する本なのか？」

秋人さんは部屋を見回しながら、少し呆れたように息をついた。

「ええ、美術の資料もそうですし、歴史書もありますし。最近楽しく眺めているのは、大正時代の売立目録(うりたてもくろく)でしょうか」

「うりたてもくろく？」

ポカンとする私と秋人さんに、ホームズさんは頷きながら、白い手袋をして本棚から古い冊子を取り出した。

「……それはちゃんと本棚に入れてるんだな。手袋までして」

「ええ、これは大変価値のある本ですからね」

「それはどういうものなんですか？」

と冊子を覗くも、筆で書かれた達筆で、よく分からない。

「大正時代、第一次バブル期がありましてね。多くの成金が生まれたんです。当時、その成金たちは料亭の玄関が暗いからと一円札——、今の価値でいうところの一万円に火をつけて明かりを灯した、なんて話があるほどに羽振りが良かった時代がありまして」

「金に火をつけてって、マジか！」

「どこまで本当かは分からないんですが、当時、羽振りが良かったことを示すエピソードのひとつです。そんな時代、成金たちはこぞって美術骨董品を買い集めました。

ですが恐慌の頻発でバブルが弾けまして、買い集めた骨董品を売りに出すことにし、その骨董品の販売リストを作ったわけです。これが、その大正時代の売立目録です。

骨董の参考書として大変勉強になりますし、古本としてもかなりの価値があるものなんです。見ているだけで楽しくて時間を忘れてしまいますね」

にこりと微笑んで、再び丁寧に本を閉じて、本棚にしまう。

その感覚がまるで分からなくて、私と秋人さんは互いに引きつった顔を合わせてしまう。

「ちなみに祖父は、大名家や徳川家の売立目録を持っているんですが、それも見応えがありますよ」

「徳川のってすごいですね」

「ええ、明治時代以降大名家の骨董品が、売りに出されたりしましたからね。また、市中に流れた貴重な美術品が欧米まで流れてしまった時期があったんですよ。その時に三井物産の育ての親と言われる益田孝（ますだたかし）が中心となって、買い戻し、流出を防いだと言われています。本当に素晴らしいことです」熱っぽくそう告げる。

「へ、へぇえ、三井物産の育ての親のマスダタカシさん」

はじめて聞いた。

「商人は素晴らしいんですよ。長きに亘った江戸時代、実は商人が国を支えていましたからね。三井家、伊藤家などの豪商が、今の価値で二百億近いお金を幕府に貸し付けていたと言われています。幕府は商人の力をもって政治を行っていたわけで、この国は元々商人ありきの国なんですよ。良かったらその当時の資料を見ますか？　ここにあるんですが」

そう言って、本の山から資料を抜くホームズさんに、

「あー、いやいやいや、もうすぐ五時になるし、そろそろ下に行こうぜ！」

と秋人さんが遮るように声を上げた。

「そうですね。では、そろそろ」

ホームズさんは時計を確認すると、その資料を再び、本の山に積み上げた。

部屋を出て、先を歩くホームズさんの背中をなんとなく眺めていると、隣を歩いている秋人さんが、チラリと横目で私を見た。

「しっかし、あんな変人がカレシになったりしたら、大変だよなぁ、葵ちゃん」

小声で耳打ちする秋人さんに、頬が熱くなる。

「そ、そんなことを私に言われても」

「実際、葵ちゃんはどう思ってんだよ？」

「ど、どうってそんな」

頬が熱くなっていることに気付かれないよう俯いた。

「す、素敵だとは思ってますけど……。なんていうか、私がどう思っていようと、あんな美意識の高い人は私を選ばないと思いますから、一線を引いているというか」

もごもごと口ごもりながらそう言うと、秋人さんはパチリと目を開いた。

「いや、ホームズのあの変人ぶりをどう思うか聞いたんだけど」

「え、ええ？」

変人ぶりについて聞かれていたなんて。恥ずかしすぎる！

「まー、葵ちゃんの言ってることも分かるな。俺、最初、ホームズは葵ちゃんのことを特別視してんのかなって思ってたけど、そうじゃなくて、同じような失恋をした『同志』みたいに思っているみたいだし、そもそもあいつはみんなに紳士的だしな」

「そうですよね、やっぱり」

「ちなみに変人ぶりについては、どう思ってんだ？」

改めて問われて、苦笑した。

ホームズさんは、確かに変な人だ。

だけど私は、ホームズさんの話を聞くのが好きだし、なんていうか……。

「もう、慣れました」

「そっか、思えば俺もだ」

私たちはポツリと零して、プッと笑った。

4

一階ホールに降りると、すでにパーティの準備は整っているようだった。

白いテーブルクロスをかけられた長テーブルには、和洋中さまざまな料理やデザートが並んでいて、白衣の給仕さんが管理している。

今回もホテルのバイキングのように立食形式だ。

いつものように着物を纏ったオーナーに、シンプルなドレスを着た好江さん。

上田さんや美恵子さんといったお馴染みの面々が、楽しげに語らっていた。

店長の姿はまだない。多分、店を閉めてから来るんだろう。

「清貴、なんやその格好、タキシードでも着んか」

ホームズさんを見るなり、露骨に眉をひそめるオーナー。

ホームズさんは、ジーンズにシャツとシンプルな出で立ちだった。

「いいんですよ、大晦日のホームパーティくらい」シレッとしてそう言う。

「葵ちゃんは、可愛いツーピースなのね。さっき言いそびれちゃったけど、とっても似合ってる、素敵だわ」

そう続けた好江さんに気恥ずかしさを感じながら、「ありがとうございます」と会釈した。

今日ここで、パーティがあることを意識して着てきたツーピース。

センスのいい好江さんに誉めてもらえて嬉しい。

「あかん。お前は客人にシャンパンを運んだりするホスト役なんやから、せめてそれなりの格好に着替えて来い！　せや、上田さんとこのカフェで着ていた格好をせい」

そう声を上げたオーナーに、ホームズさんは「はいはい」と肩を上下させた。

「すみません、ちょっと着替えてきますので、くつろいでいてくださいね」

「あ、はい」

そのままホームズさんはパーティホールを出て、再び自分の部屋へと向かった。

残された私と秋人さんは、なんとなくホールを見回した。

「あれ、ミュシャだよな」

壁のリトグラフを指差した秋人さん。

視線の先には、四枚の縦長の長方形型リトグラフパネルが飾られていた。

「そうですね、素敵ですねぇ」

頷きながらその絵の方へと歩み寄る。

この四枚の絵は、多分同じ女性がモデルだろう。だが、それぞれ違う表情を見せていた。

「――それね、好江さんの家にも同じのがあるんだって」

背後で声がして、驚いて振り返った。

そこには、ふにゃりとした笑顔の米山さんの姿。

長めの髪を後ろにひとつに束ね、ひょろりとした細身の中性的な雰囲気の男性だ。

彼は元贋作師で、オーナーに暴かれたことで足を洗い、今は画廊で働きつつ、自らも絵を描いている。

「米山さん、お久しぶりです」

「おー、米山っち」

「葵ちゃん、秋くん、お久しぶり。柳原先生のパーティ以来だね」

米山さんと秋人さんは、柳原先生のパーティの時に顔を合わせてはいたけど、いつの間にか『米山っち・秋くん』と呼ぶほどの仲になっていたようだ。

「好江さん家にも同じものがあるってことは、これ、どっちかがニセモノなのか？　あ、違うか、これって版画だもんな」

思い出したように言う秋人さんに、米山さんは頷いた。

「うん、リトグラフだよ。これはね、朝・昼・夕・夜っていう『一日の四つの時刻』を示しているんだって」とパネルを眺めながらそう言う。

なるほど、と頷いた。

花で飾られた繊麗(せんれい)な飾り枠の中、『朝』は目覚めて体を起こしたという雰囲気。『昼』はイキイキと瞳を輝かせている活動的な表情。『夕』は頬杖をついて、夕陽を眺めながら何かに思い耽っている。そして、眠りにつこうとする『夜』。

どれも、柔らかく繊細で美しくて、とても素敵だ。

「あ、絵の下にタイトルが書いてあるな」

一日の四つの時刻。『朝の目覚め』『昼の輝き』『夕べの夢想』『夜のやすらぎ』

「好江さんはミュシャが大好きでね、このリトグラフを家頭先生が好江さんに贈ったんだって。『どんな時も、君を想う』って。そうしたら好江さんが同じものを先生にプレゼントして、『いつでも私を想っていて』って言ったとか」

米山さんは、パネルを眺めながらシミジミと言った。

そうか、それで好江さんの家にも同じものがあるわけだ。

互いに想いを込めて贈り合ったリトグラフ。……なんだか、素敵だな。

うっとりと見上げていると、

「お待たせしました」と、背後でホームズさんの声がして、振り返った。

オーナーの申しつけ通り、白シャツに黒ベスト、黒いパンツに着替えていた。

カフェで見たのと同じスタイルで、やはりとてもよく似合っている。

5

その後、店長がきて、鑑定士の柳原先生や華道の花村先生を含むオーナーの友人が数人、他に美術関係者などが集(つど)った。

皆、大物のオーラを放っている。きっと、すごい人たちなんだろうな。

まるで、政治家のパーティのようだ。

若者といえば、二十五歳の秋人さん以下、私たちだけだったりして。

その時、「お招きありがとうございます」と、どこかで聞いたようなハリのある声が耳に届いた。声のした方向に目を向けて、私は瞬いた。

「うそ、市片喜助さんに浅宮麗さん！」

歌舞伎役者・市片喜助さんに、元宝塚の大物女優・浅宮麗さん。

そう、顔見世事件で、ホームズさんは喜助さんたちと親しくなった。

けど、まさか、家頭家のパーティに来てくれるなんて！

思わぬ豪華な客人に、驚いているのは私だけじゃなく、ホール内がザワめき、秋人さんもポカンと口を開いていた。

「え、どうして、喜助くんが？」

「実は祖父が『華やかな客を招待しろ！』と言うので、ダメ元でお誘いしてみたところ、快諾（かいだく）してくださいまして」

ホームズさんはそう言ったあと、そのまま二人の元に歩み寄った。

「いらっしゃいませ、喜助さん、麗さん。このたびはありがとうございます」

深く頭を下げるホームズさんに、喜助さんは「いえいえ」と小さく首を振った。

「誘ってくださって嬉しかったですよ。ありがとうございます」

微笑む喜助さんは、黒いスーツ姿。とてもよく似合っている。

怪我をした足は、一見したところ、もう大丈夫そうだった。

「私もよ、ありがと、ホームズくん」麗さんは、黒のシンプルなドレス。

相変わらず、迫力のある美しさで、明るい笑みを浮かべていた。

「それでは、こうしてスペシャルゲストも来てくださったことやし、改めて乾杯や。今年一年に感謝を、そして来年もよろしくお願いしますという心を込めて、乾杯！」

そう言ってグラスを掲げるオーナーに、皆が「乾杯！」と声を揃えた。

「いやー、今回のオーナーの挨拶は短くて良かったなぁ」

誰しも思いながらも口に出さないことを、いとも簡単に口に出す秋人さんに、ギョッとしたものの、

「ええ、事前に『柳原先生は挨拶が短くて好評なんですよね』と、それとなく伝えておきました」その横で、サラリとそんなことを言うホームズさんに笑ってしまう。

客人たちは皿を手に、料理を盛っていく。

柔らかな極上和牛ステーキにチキン、テリーヌにぷりぷりのエビやサラダ、カニのグラタン、豊富な刺身、ローストビーフにポークと、どれもとても美味しそうだ。

飲み物はビールにワインにシャンパン、日本酒、ジュース類も充実していて嬉しくなる。

皆がある程度食べ終えて、「ふぅ、どれも美味しかった」と落ち着いた頃、オーナーが、ホール中央に立ち、コホンと咳ばらいをした。

「さて、皆の腹がそろそろ落ち着いた頃かな。これから、ちょっとしたゲームをしたいと思う」

その言葉に皆は「おっ」と顔を上げて、注目した。

「ゲーム！　待ってました！」と拳を握りしめる秋人さん。

「ほうほう、どんなゲームじゃ」

柳原先生が、お手並み拝見という様子で手を擦り合わせている。

「……清貴、説明せい」

詳しい説明は面倒らしく、オーナーはすぐにホームズさんを手招きした。

ホームズさんは『やれやれ』という様子で、オーナーの隣に立つ。

「それでは、僕の方から説明させていただきます。家頭誠司が提供するゲーム、それは『宝探しゲーム』です」

ホームズさんの説明に、皆は『宝探し！』と目を輝かせた。

「今から、僕が作成した、宝の鍵が隠されている『暗号文』を皆さんに配ります。皆さんはその暗号文を読み取って、隠された純金の鍵を見つけ出してください。見つけ出した方にその純金の鍵と、祖父からプレゼントを贈らせていただきます」

その言葉に皆は「おおお」と声を上げた。

「宝探しだってよ」

「純金の鍵に、オーナーからの贈り物ってすごそう！」

「これは張り切らないと」

会場が一気にワッと盛り上がる。

そんな中、ホームズさんは、チェストから茶封筒を取り出していた。

きっと、そこに暗号文が入っているんだろう。

「ホームズさん、これが上田さんに教えてもらったというゲームなんですか？」

歩み寄って小声で尋ねた私に、ホームズさんは苦笑して頷いた。

「ええ、そうなんです。あれこれ言っていた割には、単純というか、捻りのないゲームで」

その言葉にプッと笑ってしまった。

ホームズさんは茶封筒の中から、まるで宝の地図が描かれていそうな雰囲気の色褪せた紙の束を取り出して、皆に一枚一枚配っていった。

そこには、インクで書かれた六行の文字。これが、暗号文だ。

ドキドキしながら、私はその紙を覗いた。

――それは、ムンクが見詰める先
乙女が抱きし、その刻に
小さな国の人々が、私はまわると囁きだす
あなたが探す、その鍵は旅立つこともなく、
そこであなたを待っているでしょう――

「…………」

えっと、何これ。

「ちなみに、清貴には何度か作り直させたんや。こいつが作る物は難解すぎてな。ようやく、皆さんにも解けるであろう暗号文を作りおったわい」

ハハハと笑うオーナーに、小首を傾げるホームズさん。

「これ、ちょっと簡単すぎやしませんか？」

い、いや、わけが分からないから！　この文に、宝のありかが示されているんだよね？

私はもう一度、暗号文に目を向けた。

すると店長がくすりと笑った。

「いやいや、皆さん、なかなか難しそうな表情を浮かべてますよ」

そう、私だけじゃなく、ホールにいる皆が、暗号文を手に固まっていた。

「お、おい、ホームズ、わけ分かんねーよ」

暗号文に目を向けたまま、声を上げた秋人さんに、喜助さんや麗さんも『うんうん』と頷いた。

「そうですね……宝は一階のどこかに隠されています。そして、この文を解読するヒントとなる書物も、一階の至るところに置いてあります。ぜひ、探してみてくださいね。チームになっていただいても構いませんよ。また、様子を見て、僕たちがヒントを出すこともあるかもしれません」

ニッコリと微笑むホームズさんに、私たちは顔を見合わせてしまった。

「喜助くん、一緒に考えましょうよ」と喜助さんの肩に手を乗せる麗さん。

「上田さん、全然分からへんから、チーム組んでや。負けられへんで」

力強く言う美恵子さん、「やる気満々やな」と笑う上田さん。

他の人たちも、数人ずつ寄り添って、モソモソと話していた。

「葵ちゃん、米山っち、俺たちもチームになろうぜ」

と歩み寄った秋人さんに、米山さんは申し訳なさそうに首を振った。

「ごめんごめん、僕は裏方の人間というか、清貴くんに頼まれて、モニター役を引き受けちゃったから、もうネタバレ知ってるんだ」

「あ、なんだ、そうなんだ」

「うん、清貴くんは難しすぎない暗号文を作ってくれたと思うよ。二人ともがんばって」

という米山さんに、私たちは驚いた。

「難しすぎない？」

「ええと、全体を見て混乱するんじゃなくて、ちゃんと一行ずつ解読していくようにしたらいいと思うな」

諭すように言う米山さんに、私と秋人さんはもう一度、暗号文を見た。

一行目、『ムンクが見詰める先』。

「ムンクって、あのムンクだよな？」

秋人さんは大きく口を開けて、両手を頬に当て、まさにムンクの『叫び』のポーズを取った。

「そ、そうだと思います。でも、わざわざ、真似しなくても……」

「まあいいぜ！　これはズバリ、京都寺町三条のホームズからの挑戦状だ！　見事、京都四条烏丸の工藤俊作こと、この梶原秋人が解いてやるぜ！」

秋人さんが暗号文を手に、ビシッとホームズさんを指差した。

「工藤俊作って？」首を傾けた私に、

「昔、松田優作が主演を務めた『探偵物語』というドラマの主人公の名前ですよ」

にこやかに答えてくれるホームズさん。

「って、ちゃんと受けて立てよ！」と声を上げた秋人さんに、皆がドッと笑った。

そんな笑いも束の間、他の参加者は数人で固まって、真剣な表情で話している。

「葵ちゃん、こっちだ！」

と秋人さんは声を上げて、すぐに早足でホールを出る。

「え、ええ？」戸惑いながらもその後を追い駆けた。

『この文を解読するヒントとなる書物も一階の至るところに置いてあります』とホームズさんが言っていたから、もしかしたら目ぼしいものを見付けていたのかもしれない。

秋人さんって、抜けているようで、やる時はやってくれるタイプなのかも。

迷いもなく進むその姿に感心していると、秋人さんはなぜか通路突き当たりまで走り、そのまま靴を脱いで、二階へと続く階段を上った。

「えっ、秋人さん、二階に行くんですか？　ヒントも宝も、すべて一階にあるって言ってましたよ？」

ギョッとしつつ、私も後を追って階段を上る。

「葵ちゃんはやっぱ気付かなかったか？」

「えっ？」

「さっき、ホームズの部屋に入った時、壁際のチェストの上にあった『何か』をホームズは後ろ手で隠したんだ。ごく自然に、普通の人間には気付かれないような動きで」

「そ、それは気付きませんでした」

でも、『普通の人間には気付かれないような動き』って……。

「よく秋人さんは、気付かれましたね？」

階段を上りきったところで尋ねた私に、秋人さんは足を止めた。

「ああ、俺は最近、バラエティ番組で、『マサムネ』を含む有名なマジシャンと共演することが多くて、特別なテクニックを長時間観察する機会があったんだ。……あの時のホームズの動きが、マジシャンの動きに酷似してたんだよ。それで『ん？』って思うことができたっつーか」

「なるほど」

ホームズさんの、『何かを隠した』その時の動きは、マジシャンと同じだったというわけだ。

「そん時、俺はてっきり、元カノの写真でも隠したのかなと思ったんだ。だから、あえて何も言わなかったんだけど」

そう続けた秋人さんの言葉が信じられず、『んん？』と眉を寄せた。

「でも、冷静に考えたら、ホームズは、元カノの写真を飾っておくような輩じゃねーし、多分あの時、暗号文を作成した時に作った、ネタバレの紙が無造作に置いてあったんだと思うんだ。それを隠したんだよ！」

「は、はあ」

「それを見つけて、暗号文を一気に解読！　これで、宝はいただきだ！」

グッと拳を握りしめる秋人さん。

……京都四条烏丸の工藤俊作、やり方がセコイ。

「さっ、行くぞ、葵ちゃん！」

すぐにホームズさんの部屋に向かう秋人さん。

もし、本当に暗号文の下書きだったり、ネタバレなら、そんなどうしようもないやり方は気が進まない。

だけど、ホームズさんは下書きとかはしなさそうだから、隠した物は多分違う気がする。

だとしたら、何を隠したのか。

誰も来ることを想定してない、無防備な状態の部屋にあったもの。

それはたしかに気になるけれど、そんなものを見ようなんて。

足を止めた私に構うことなく、秋人さんはホームズさんの部屋のドアを開けた。

鍵はかかっていなく、部屋が真っ暗だ。

照明をつけると、先ほど見た雑然とした部屋があらわになった。

高く積み上げられた、資料や本、書類。秋人さんは、それらを踏まないように歩いて、チェストの上に顔を向けた。

「……このあたりに隠した感じだったんだよな」

静かにそう言って、秋人さんは水色の冊子を手にする。

バクンと鼓動が強くなり、

「や、やっぱり、秋人さん、ホームズさんが隠したものを見るのはやめましょうよ！」

すぐに部屋に駆け込んで、秋人さんの腕をつかむ。

その勢いで、冊子とその下に隠されていた『何か』が、バサッと床に落ちた。

「あっ」

「やべ」と、かがんで、すぐに冊子を拾い上げる秋人さん。

その瞬間、あらわになった『ホームズさんが隠したもの』に、私たちは大きく目を見開いた。

そこにあったのは、『扇子』だった。あしらわれた紅葉の絵に、『勝』という文字。

『この扇子は元々僕のものなんですが、「勝」という文字が勝手に書かれているんですよ』

あの時のホームズさんの言葉が頭を過る。

「な、なぁ、これって……」

戸惑いの目を見せる秋人さんに、私はそっと頷いた。

そう、これは……円生の扇子。

円生との二度目の対峙。源光庵で、扇子を差し向けられた時、ホームズさんはそれをつかんで、ボッキリと折った。

その扇子は折れた部分を直し、綺麗に整えられていた。

あの時は気付かなかったけど、紅葉の絵も添えられていたんだ……。

きっと、ホームズさんはこの扇子を開いて飾っていたんだろう。

ホームズさんは、円生に負けたくないという意志の下で、その気持ちを奮(ふる)い立たせるために飾っていたわけではない。それならば、私たちに隠したりはしない。

ホームズさんは、捨てられなかったんだ。

きっと何度も何度も、捨てようとしたに違いない。

それでも、捨てられなかった。

それはきっと、この円生の描いた『紅葉の絵』と、『勝』という文字に、ホームズさんが芸術を――価値を感じてしまったから。

もっとも負けたくなくて……、もっとも認めたくない相手の作品に価値を感じてしまった。

チェストの上に飾られた、円生の扇子。

私たちが来たことで、そっと隠したホームズさんの気持ちと、どうしても捨てられずに飾っていたホームズさんの葛藤を思うと、なんだか胸が苦しい。

私と秋人さんは何も言わずに、扇子と冊子を元に戻して、フーッと息をついた。

その時、小さな足音とともに、ホームズさんが姿を現した。

私たちはギョッとして、弾けるように振り返る。

「……まったく、人の部屋に勝手に入って何をされているんですか」

「ご、ごめんなさい」

慌てて頭を下げた私に、ホームズさんは首を振った。

「いえ、葵さんは構わないんですよ。秋人さんに無理やり連れて来られたのでしょう？

それで秋人さんは、ここで一体何を？」

「あー、悪い。暗号文の下書きでもあればと思って」

悪びれもせずに言う秋人さん。

この言葉は本当のことだから、とても真実味を帯びている。

「まったく、あなたらしい。そんなことだと思いましたよ。ですが、ここにそんなものはありませんよ。探偵『工藤俊作』が、どんな手段も使う男なのは分かりますが、ヒントはすべてに一階にあると言ったでしょう？」

呆れたように息をつくホームズさんに、

「わ、悪い」秋人さんは肩をすくめた。

「さあ、戻りましょう」

ホームズさんが大きく扉を開く。私たちはコクリと頷いて、部屋を後にした。

一階では、暗号文を手に、ブツブツ呟きながらウロつく人や、テーブルに綺麗に並べられた美術資料を開く人の姿が見えた。

「米山さんの言うように、一行ずつ解読していきましょうよ。まず、『ムンクの見詰める先』。ムンクが何を見ているのか……」

そう言って私は、通路に置かれたテーブルの上にズラリと並ぶ美術資料の中から、絵画にまつわる本を取り出して開いた。

これは『蔵』の本棚にもある本で、絵画に隠された裏話等が紹介されている、なかなか興味深い本だ。

もしかしたら、ムンクの『叫び』についても何か裏話があるかもしれないと、本をめくる。

すぐにムンクのページは見つかった。私は目に力を入れて文字を追った。

本にはこう書かれていた。


――エドヴァルド・ムンク　作品タイトル『叫び』。

この『叫び』は、絵画の人物が叫んでいると勘違いされる方も多いだろうが、そうではない。彼は耳に手を当てている、つまり耳を塞いでいるのだ。

それでは、何を聞いて耳を塞いでいるのか。そのことについては、実際にムンクが体験したものとされ、次のような日記が残されている。

『私は二人の友人と坂道を歩いていると、夕日が沈みかけているのが見えた。突然、空が血の赤色に変わったことで、私は立ち止まり、酷い疲れを感じて柵に寄り掛かった。

その空の色は炎の舌と血のようで、青黒いフィヨルドと町並みに被さるようだった。

友人は歩き続けたが、私はそこに立ち尽くしたまま不安に震え、戦っていた。そして私は自然を貫く果てしない、叫びを聴いた』

そう、ムンクの『叫び』。それは大いなる自然の叫びを感じ、耳を塞いだ姿なのだ――。

「………」

私は、秋人さんと顔を見合わせた。

つまり、ムンクが見詰める先――それは、夕日なんだ！

「じゃ、じゃあ、待てよ。この家の西側に何かがあるってことか？」

部屋をグルリと見回す秋人さん。

「う、ううん、違いますよ。ほら、パーティのために用意された、ミュシャの四つの絵！」

そう、一日の四つの時刻を示す、四枚からなるリトグラフの連作。

「そ、そうか、夕方の絵だ！」

私たちは強く頷いて、再びホールへと向かった。

でも、まぁ、なんていうか……。

誰もがここまでは簡単に解けるのか、客人たちは皆、ミュシャのリトグラフ、『夕べの夢想』の前に立ち尽くして、暗号文を片手に難しい表情を浮かべていた。

次の文は……【乙女が抱きし、その刻に】。

「乙女が抱きし、か……」

「なんやろう」

「あの絵に何か秘密があるんか？」

飾られたリトグラフを凝視しながら、皆はブツブツと呟く。

私も同じように『夕べの夢想』を眺めていた。

右手で頬杖をついて、まるで窓の外を眺めるかのような雰囲気。

夕暮れの空を見ているようで、どこも見ていないような……まさに、『夢想』という言葉がピッタリと当てはまる。

穏やかな夕刻、ふんわりと何かを思い浮かべている、そんな眼差し。

きっと、この絵にヒントがあるはずだ。

皆がゴクリと息を呑んで、ヒントを見つけようと目を凝らす中、秋人さんだけは暗号文を食い入るように見詰めて難しい表情を浮かべていた。

「なぁ、葵ちゃん」

「はい？」

「……乙女が抱きし、その……なぁ、この字ってなんて読むんだ？　コクでいいのか？」

暗号文の『その刻に』の文字を指しながら顔を上げる秋人さんに、

「えっ」と動きが止まってしまった。

「そんなの、決まってますよ。これは……」

呆れつつそこまで言いかけて、言葉が詰まる。

そうだ、この『刻』。私はなんの疑問も抱かずに、『乙女が抱きし、このトキに』と読んでいた。でも、これは『刻限（こくげん）』の『刻』。

秋人さんの言うように、『コク』でもおかしくはない。

どうして、ホームズさんはこの字を使ったんだろう？

ここに、注目するように、ってことなんだろうか？

【乙女が抱きし、その刻に】

——刻、刻限、時間。つまり、『乙女が抱きし、時間』。

そもそも、この乙女が何を抱いているかというと……。

——夢想だ。

夢想する時間を示しているってことなんだろうか？

「……夢想の時間って、どういうことだろ」

思わず、ボソッと呟いてしまった私に、近くにいた麗さんが大きく目を開いた。

「ドビュッシーじゃない？」

こちらを見るなりそう言う麗さんに、驚いて顔を上げた。

「ドビュッシー？」

「そう、ドビュッシーの『夢想』の演奏時間！」

麗さんの言葉に、皆はハッとした様子で一斉にスマホを取り出す。

「あちゃ、声が大きすぎたわね」

肩をすくめる麗さん。ちなみに、思わず口に出してしまったのは、私も一緒だ。

目の端に、私たちを観察しているホームズさんが、くすりと笑っている姿が映った。

「葵ちゃん、ドビュッシーの『夢想』。演奏時間は約四分と言われてるらしいぜ」

スマホを手に、他の人には聞こえないように小声で伝えてくれる秋人さん。

うん、でも……その情報は、この場にいる皆がネットから得ているようだ。

『乙女が抱きし、その刻に』それが、四分だとして……それが何を意味するのか分からないけど、とりあえず、次の暗号文、三行目。

【小さな国の人々が、私はまわると囁きだす】

ザッと見ただけでは、やっぱり意味が分からない。

「なぁ、回る物って、なんだ？」

秋人さんが、小声で耳打ちしてきた。

「回る物……」

そうだ、とりあえず、『まわりだす』は、きっとそのまま『回る物』を指している。

この家の一階にある、回る物はというと……と、グルリとホールを見回してみる。

すると、秋人さんは「あ」と小さく声を上げて、私の手をつかんで引き寄せた。

「分かった、葵ちゃん。アレだよ」

耳元で囁いたその瞬間、ホームズさんが歩み寄って秋人さんの肩を強くつかんだ。

「秋人さん、先ほどから、いちいち葵さんに馴れ馴れしくありませんか？」

「い、いてて！　し、仕方ねーだろ、みんなに聞こえねぇように打ち合わせしてんだから」

「それをいいことに、必要以上に接近しているように見受けられますが？　いい加減、セクハラ行為は困ります」

「は、はぁ？　そんなわけねーだろ。何言ってんだよ、お前」

「それならいいんですが。失礼いたしました。どうぞ、ゲームの続きをお楽しみください」

ホームズさんはパッと手を離して、会釈をした。

「ったく、なんだよあいつ。葵ちゃんの保護者気取りかよ」

チッと舌打ちしたあと、秋人さんはホームズさんを警戒しながら私に耳打ちした。

「……それはそうと、葵ちゃん、あの柱時計、あやしくねぇ？」

「柱時計？」

秋人さんの視線の先には、一見柱時計に見えるアンティークな置物。

「あ、いえ、あれは柱時計じゃなくて、オルゴールみたいですよ」

そう告げた瞬間、ハッと目を開いた。

ガラス戸の中には、大きなディスク。その下に、小さな動物や人形が飾られている。

こ、これだ！

私と秋人さんは顔を見合わせて強く頷き、他の人に気付かれる前にオルゴールのところに駆け寄った。

「えっと、これはどうやって回すんだ？」

自分の背丈ほどに大きなオルゴールを前に、秋人さんはキョロキョロと顔を動かした。

「……動かして差し上げますよ」

スッと歩み寄って、オルゴールを起動させるホームズさん。

ディスクが回り出すと同時に、思った以上に大きな音と、オルゴール特有の綺麗な高音がホールに響いた。ホールにいた皆が、ハッとしてこちらに注目する。

下の人形たちが、まるでメリーゴーランドのようにクルクルと回っている。

「……綺麗。この曲、聴いたことがあります」

静かに洩らした私に、ホームズさんは小さく頷いた。

「ええ、『シオンの娘たちよ、大いに喜べ』という曲です。こちらは十九世紀、ポリフォン社によって作られたディスクオルゴールです。オーク材にウォールナットの化粧張り。そして踊る陶器の人形。この形は他に見ないことから、おそらく富豪の特注品だったと思われます。これもまた、祖父の宝のひとつですね」

音楽が流れたのは、二分ほどだった。

何事もなく曲が終わり、再び私と秋人さんは顔を見合わせた。

「あ、あの、ホームズさん。このオルゴールを調べてもいいですか？」

「ええ、無理に引っ張ったりせずに、優しく触れる分には構いませんよ」

了承を得た私たちは、柱時計の扉を開くように、オルゴールの戸をパタンと開けた。

目の前には、まるで羅針盤(らしんばん)のようなディスク。

下には、回っていた人形たち。その人形の中に、小さな箱があることに気が付いた。

「ッ！」息を呑んだのは、私だけじゃなかった。

背後に集まっていた他の客人たちも、固唾を呑んで見詰めている。

「い、いいか？」尋ねる秋人さんに、私は強く頷いた。

まるで指輪が入っているかのような、ビロードの紺色の箱。

秋人さんはその箱を手に取り、そっと開けた。

そこに入っていたのは、金の鍵……ではなく、

【残念でした、ハズレですよ。ドンマイ☆】

という、ホームズさんからの『ハズレ』のカード。

心なしか、軽くイラッときてしまうメッセージだ。

「…………」

絶句する私と秋人さんの背後で、注目していた客人たちがドッと笑っていた。

そんな中、喜助さんがポンッと、秋人さんの肩に手を乗せた。

「悪いね、秋人くん。僕は分かっちゃったよ」

「え？」

「……『小さな国の人々が、私はまわると囁きだす』これが何を意味しているのか。そして、それはこの一階にある物。それならば……これしかないってね」

喜助さんは、先月末に足を負傷したとは思えない堂々とした足取りでホール内をツカツカと歩き、出窓のところに置いてある地球儀に手を乗せた。

「――これのことを言っているんだと思うんだ」

その地球儀は我が家にあるものとは、まったく違うアンティークなデザインだ。

セピア色の球体に、英語で記された国名。

教材ではなく、インテリアとして、レトロでお洒落な地球儀。

ホールにいた皆は、「おお」と声を上げた。

麗さんが目を輝かせながら、パチンと手を打った。

「そうね、この小さな地球儀の中の国々はとても小さいし、この地球儀はまわるものね！」

その言葉に、私も強く頷いてしまった。

本当にそうなのかもしれない。

やられた。言われてみれば納得なのに、まったく思い付かなかった。

「実はこれに似たものを知人の家で見たことがあるんです。この地球儀は、ただの地球儀じゃなくて、『入れ物』になっていました。こんなふうに……」

喜助さんはそう言って、地球儀の球体をパカッと開けた。

「おお！」私も皆も驚きの声を上げた。

その地球儀は、一見分からなかったけれど、本当に『入れ物』となっていた。

内側には金箔が貼られているのか黄金で、まるで秘密の隠し箱だ。

その中から喜助さんは赤い小箱を手にした。

「くそ、喜助くんにやられたか！」

悔しそうに拳を握り、奥歯を噛みしめる秋人さん。

「悪いね、秋人くん。宝は頂いたよ」

喜助さんは得意げな笑みを浮かべながら、そっと小箱を開けた。

そこには入っていたのは……、

【ハズレでーす。残念デシタ♪】

またしても、ホームズさんのハズレカード。

イラッとくる雰囲気は、なんだかさっきのよりもパワーアップしている気がする。

「……なっ」カードを手に立ち尽くす喜助さん。

今この瞬間まで浮かべていた喜助さんの盛大なドヤ顔が、みるみる蒼白していく。

申し訳ないけれど、他の皆と一緒に、私も大爆笑してしまった。

笑いながら、皆の視線が自然とホームズさんに集まる。

揃いもそろって、まるで助けを求めるような目をホームズさんに向けている。

ホームズさんは小さく笑って、自分が作った暗号文の紙を皆に見せるように手にした。

「そんなに捻って考えずに、素直にその文章の意味を考えてください。そして暗号文をちゃんと最後まで読んでくださいね」

その言葉に皆は改めて、暗号文に目を向けた。

私も暗号文を眺め、ブツブツと読み上げる。

『それは、ムンクが見詰める先。乙女が抱きし、その刻に、小さな国の人々が、私はまわると囁きだす。あなたが探す、その鍵は旅立つこともなく、そこであなたを待っているでしょう』

「…………」

一行目の『ムンクが見詰める先』。それは夕日、ミュシャのリトグラフ『夕べの夢想』だと思った。

二行目の『乙女が抱きし、その刻に』、これは『夢想』の演奏時間、四分を指しているとして……。

三行目からの『小さな国の人々が、私はまわると囁きだす。あなたが探す、その鍵は旅立つこともなく、そこであなたを待っているでしょう』。

……これがまだ分からない。

『そんなに捻って考えずに、素直にその文章の意味を考えてください』……か。

小さな国の人々。そもそも、小さな国って、どこだろう。

世界で一番小さな国は――バチカンだ。

私はハッとして、顔を上げた。

そうだ、そうに違いない。

つまり、バチカンの人たちが『私はまわる』と囁きだす。

私はまわる……？

その時、ははは、という笑いとともに、

「後から来といて、かんにん。分かってもうたわ」

という、どこかで聞いた声が耳に届き、私たちは戸惑いながら顔を上げた。

そこには一見したところお坊さんにしか見えない、墨色の着物を纏い、頭を剃り上げた青年が不敵な笑みを浮かべている。

「――え、円生？」私は驚きに目を剥いた。

私と同じように驚きの表情を見せているホームズさんと、蒼白する秋人さんの姿も目の端に映る。

他の皆は『誰？』という顔を見せていた。

――どうして、円生がここに？

愉快そうに口角を上げている彼を前に、冷たい汗が滲む。

すると、円生はクックと笑った。

「そんな顔せんと。忍び込んだんちゃうし、ちゃんと家頭先生に許可をもらって来たんやで。大晦日のパーティを開くいう話やから、『参加してええですか』て。今かて、このオバハンにちゃんと入れてもろたし」

そう言って、好江さんを見る。

好江さんは『このオバハン』という言葉に肩をすくめて腕を組み、オーナーは何も言わずに、少し面白そうに笑みを浮かべていた。

「……何しに来てん？」

冷ややかに京都弁で尋ねるホームズさん。

今までとは一転、ホームズさんが放つ、氷のような雰囲気に、なごやかだった会場がみるみる冷えていく気がした。

「それより、宝探しごっこの続きをさせてや」

円生はにこやかに笑ったまま窓際へと歩き、出窓部分に並べられた、ブリキでできた車の模型の中から、迷いもせずにある車を手にし、そっと扉を開けた。

長い指を車の中に入れたかと思うと、

「ビンゴやな」黄金の鍵を手に、ニッと笑った。

おおおお！　とホール内にどよめきが起こる。

「えっと、でも、どうしてその車の中なのかしら？」

拍手をしつつ小首を傾げている麗さんに、円生はにこりと笑った。

「『小さな国の人々が、私はまわると囁きだす』、小さな国はバチカンや。主に使う言語はラテン語。『私はまわる』をラテン語にすると『ボルボ』。そして『夢想』の四分を秒にしたら……」

そこまで言いかけた円生に、男性陣が「ああ！」と声を上げた。

「ボルボの２４０！」

「なるほど、ボルボの２４０か」

――ラテン語にも車種にも詳しくないけれど、『volvo240』という札が付いた車の模型があったのは見ていた。わざわざ、札を付けていたのは、ヒントだったたんだ。

そして車の中に鍵があるから、『あなたが探す、その鍵は旅立つこともなく、そこであなたを待っているでしょう』という文面になったわけだ。

「ホームズはんが作った暗号文いうから期待したんやけど、簡単すぎて拍子抜けやな」

「それは失礼いたしました。あなたが来ると分かっていましたら、あなた用に作って差し上げたんですがね。それにしても、後から来て美味しいところどりなんて、なかなかあなたも子どもっぽくて、可愛らしいですね」

「おおきに」

互いに顔を見合わせて、ふふふと微笑む。

「な、何、あの二人、すごく仲が悪いの？　二人とも笑顔なのにものすごくピリピリしてるんだけど」何も知らない麗さんは、二人の様子を遠巻きに眺めて少し動揺している。

「な、仲悪いとかいうレベルじゃないんすよ、麗さん」

二人のことをよく知る秋人さんは顔を引きつらせながら、麗さんに耳打ちしていた。

「まぁ、後から来といては、ほんまやな。この鍵はお嬢さんにあげるわ」

円生はそう言って、金の鍵を私の前のテーブルの上に置き、ホームズさんに向き合った。

「ほらほら、ホームズはん。楽しいパーティやのに、そんなピリピリせんと。それに俺も余興を用意してきたんやで」

「……余興？」

「せや」

円生は頷いて、壁際に置いてあった荷物を手にした。

大きなカバンの中から桐箱を二つと掛け軸二本を取り出し、続けて金槌(かなづち)と、とても小さな刃の薄いナイフも並べた。

「――ホームズはん、あんたと俺の、真贋判定ゲームや」

強い眼差しを向ける円生に、

「いいでしょう」

彼に負けないほど、鋭い眼差しで頷くホームズさん。

会場にいる皆は、ゴクリと息を呑んだ。

「それで、この金槌とナイフは、なんですか？　あなたの頭を凹ませるためのものでしょうか」

「恐ろしいこと言わんといて。でも、あんたならやりかねへんわ。これはな、ニセモノやと思うたら、これで瞬時に破壊してほしいんよ」

「それはいいですね。すぐに破壊できるなら、ストレスは溜まらなそうです」

「せやろ」

互いに顔を見合わせて、同じように微笑み合う。

一見なごやかながらも緊迫した雰囲気に、皆は言葉もなく、それでも食い入るように見守っていた。

円生はまず、桐箱を二つ手にして、その中から茶碗を取り出した。

テーブルの中央に、半筒形（はんつつなり）の黒い茶碗が二つ並ぶ。

一見すると、まったく同じものが並んでいるように見える。

「あれは、樂（らく）茶碗……？」

少し離れたところで、米山さんがポツリと洩らした。

そう、一見したところ樂茶碗だ。

以前ホームズさんから、レクチャーを受けたことがある。

樂焼きは桃山時代（十六世紀）樂家初代・長次郎によって始められたもので、そのルーツは中国明時代の三彩陶（さんさいとう）。千利休らの嗜好（しこう）を反映したもので、手捏（てご）ねによるわずかな歪みと厚みのある形状が特徴的な、至高の品だと教えてくれた。

「どっちが本物か見極めて、ニセモンの方を壊してくれへん？」

円生は口に笑みの形を浮かべたまま、金槌をホームズさんに差し出した。

「…………」

ホームズさんは無言で、金槌を手にする。

並べられた二点の茶碗。

「あかん、まるで同じに見える」と、背後で上田さんが洩らしていた。

残念ながら、私の目にも寸分違わなく見える。

ホームズさんやオーナーの目には、やはり違っているように見えるのだろうか？
ホームズさんは冷ややかな表情のまま、躊躇することもなく右側の茶碗に向かって金槌を振り落とした。

「っ！」

見事にふたつに割れる茶碗。

右側が贋作だったんだ！　と皆が口に手を当てていると、ホームズさんはそのまま左の茶碗にも金槌を振り落とす。

「……残念ながら、どちらもニセモノですね。樂家十一代・慶入（けいにゅう）の作風を真似ていたようですが、似て非なるものです。慶入は技量、教養も高く、彼が作り出す茶碗からも品格が伝わってきたのですが、こちらからは、それがまるで感じられませんでした」

割れた茶碗を指差しながら、にこりと微笑む。

「なんや、二つ用意したら、引っ掛かる思うたんやけどな」

「あなたが作った贋作いうから期待したんやけど、簡単すぎて拍子抜けやな」

彼とまったく同じ言葉を返したホームズさんに、円生は愉しげに目を細めた。

「ええな、相変わらず勝気な子やね。ほんなら、こっちはどうやろ」

今度は掛け軸を手に持って、広げた。

横に並んだ『漢字二文字』に筆名。

うねるような力強い文字だ。それがなんて書かれているのか、私には読めない。

「な、なぁ、あれ、なんて書いてあるんだ？」

誰に問うわけでもなく小声で尋ねた秋人さんに、店長が静かに答えた。

「文字は『清濁（せいだく）』、筆名は『山岡鉄舟（やまおかてっしゅう）』と書かれていますね」

「山岡鉄舟？」

「ええ、幕末から明治時代の幕臣で、政治家であり思想家です。そして、書の達人としても知られていました」

サラサラと答える店長。さすが時代小説作家だ。私は感心しつつ書に視線を移した。

「……『清濁』とは、またいやらしい文字を選びましたね」

ホームズさんは、ふぅ、と息をついて腕を組んだ。

どういうことだ？　と首を捻る秋人さんに、店長がまた、そっと口を開いた。

「清濁併（あわ）せ呑（の）む――、ということわざがあります。心が広く、善（ぜん）でも悪でも分け隔（へだ）てなく受け入れる、度量の大きいことのたとえです」

静かに説明してくれる店長に、皆はなんとなく頷いた。

ホームズさんは小さく息をついて、ナイフを手にし、

「……よく書けていますが、ここところに『あなた』が出てしまっていますね」と、刃の先で文字を指したあと、その書をスッと切り裂いた。

どうやら、これもニセモノだったようだ。

「なんだ、ニセモノばっかかよ」

拍子抜けしたように言う秋人さんに、円生はくすりと笑った。

「かんにん、次が最後や」

もうひとつの掛け軸を手にして、ゆっくりと広げる。

そこには、浮世絵が描かれていた。歌舞伎役者が刀の柄を手にしている姿。

目にするなり、ゾクリと、体に電流が走った気がした。

私が素人だからだろうか……？

息を呑むほどの、迫力を感じた。

「……写楽！」

私の背後に立っていた上田さんが、驚いたように声を上げた。

上田さんは浮世絵が好きだというだけあって、この絵を知っていたようだ。

「そ、そうですね、『市川男女蔵』ですね」続いて頷く喜助さん。

描かれている人物は、『市川男女蔵』というらしい。そして歌舞伎役者の喜助さんにも、馴染みがあるのだろう。

「――せや、これは写楽の肉筆画や」

円生は不敵に微笑んで、ホームズさんを見た。

ホームズさんは真剣な表情で、掛け軸を見ていた。

皆の背後で、オーナーが腕を組んで見守っている。

その顔は無表情で、何を考えているのか読み取ることができない。

……写楽の肉筆画。

私の脳裏に、以前ホームズさんが話していた言葉が過(よぎ)る。

――『肉筆画』というのは版画ではなく、絵師が描いた一点もので、今では価値がまるで違います。

特に写楽の肉筆画は、大震災ですべて灰になったと、それまでは言われていたんですが、とある大名華族の家から、『春峰庵』と号されて出てきたというわけです。

その時に、『笹川臨風』博士という高名な鑑定士が『本物』と鑑定し、世紀の大発見といわれ、今の金額にすると何億もの価値に値すると騒がれました。

しかし、後日それはあるよからぬグループが画策して作った贋作であったことが、判明したんです。これによって博士の地位は地に落ちました――。

そう、写楽の肉筆画は、もうこの世にないと言われていた。

近年、ギリシャで肉筆画の扇が発見されたのは、奇跡的なことだ。

だから、これが本物なんてことはありえないはず。

だけど……、この迫力はなんだろう？

本当に贋作が放っているものなのだろうか？

この世にはもうないとされていた写楽の肉筆画が、世界のどこかで発見された以上、今や『絶対にない』とは言えないのかもしれない。

ホームズさんは、しばし何も言わずに浮世絵を眺め、そっとナイフを手にした。

皆は息を呑んで、顔を見合わせる。

ホームズさんは、グッとナイフを持つ手に力を込めたかと思うと、勢いよくその掛け軸を切り裂いた。

掛け軸が真っ二つになって、はらりと、床に落ちる。

その瞬間、円生は、ふっ、と笑った。

「残念やったな。それは、本物やで」

ホームズさんを見据えて、嬉しさを隠しきれないように口元を歪ませる。

「っ！」

ホームズさんの眉がピクリと動き、皆は驚きに声もなく、口に手を当てた。

「……知識と先入観が邪魔したなぁ。『春峰庵事件』は、たしかに良からぬグループが画策したもんやったけど、実はほんまに、大名家から写楽の肉筆画は出てきたんや。あれはそれを我が物にしたかった輩がおっての騒ぎやねん。世の中の裏側では、いろんなことが起こっとるもんや。……あんたが切り裂いたそれは、ほんまに写楽の肉筆画やで」

円生は心底残念そうに洩らすと、床に落ちた浮世絵に視線を落とし、足で踏みつけた。

「まぁ、写楽の肉筆画やろうとなんやろうと、俺にとってはどうでもええんやけど」

足首を捻り、さらに浮世絵をグシャッと踏みつける円生に、ホームズさんは何も言わない。

――これが、本物だった？

本当に、幻の写楽の肉筆画だとしたら、円生は『どうでもええ』と言ったけれど、私にだって、その価値は分かる。

本物だとしたら、これは大変なことだ。

シン、とした静けさが襲う中、円生はクッと顔を歪ませたかと思うと、あはは、と声を上げて笑った。

「嘘や、嘘。全部嘘やで」

「う、嘘？」

私と秋人さんの声が揃い、見守っていた皆が困惑の表情を浮かべた。

「せや、これは正真正銘、俺が描いた贋作やねん。ホームズはん、今、本気にしたやろ、『写楽の肉筆画を見抜けんと、切ってもうた、どないしよう』て。俺が『本物や』言うた時の一瞬引きつった顔、傑作やったで、可愛いらしいわ、ほんま」

円生は笑いながらホームズさんの顎を勢いよくつかみ、鼻先がつくほどに顔を近付けた。

「なぁ、ほんまに『本物』思うたん？　あんたの口から教えてや」

「………………」

ホームズさんは、無表情のまま、円生の手首をつかんで捻り上げた。

「っ！」

痛みに顔を歪める円生に、ホームズさんはふっと頬を緩ませ、さらに手に力を込める。

「――ああ、この忌々しい右手を折ってしまえばいいのかもしれませんね」

円生はチッと舌打ちして、ホームズさんの身体を突き飛ばし、

「相変わらず、乱暴な子やな。ほんまに折る気やったろ」と自分の右腕を摩った。

「まさか。ここであなたの腕を折ったとしても、僕は満足できませんからね。それよりも、本心はその忌々しい手をつかんだまま、警察に引きずり出したいところですが」

「遠慮はいらん、やったらええ」

円生は躊躇いもせずに、右手を差し出した。

「……まぁ、逃げられるのがオチでしょうね。できるなら、あなた自身に自首をしてもらいたいところです」

「せやなぁ、今回の勝負は『引き分け』いうところやろか。あんたを決定的に打ちのめさな、罪を改めることもでけへんな。あんたの膝を地につかせて、『もう鑑定士はやめます』て言わせることができたら、スッキリして自首するかもしれへん」

「いえ、決定的に僕が暴いて、『もう作るのも無駄や』と思わせて、自首してもらいますよ」

「写楽の贋作に心乱しといて、よう言うわ」

「どうでしょう？　ほんまに『引き分け』思うてん？」

目を弧の字に細めて笑うホームズさんに、円生は眉をひそめた。

「ほんなら、今回の決め手はなんや？」と腕を組んで、ホームズさんを見据える。

ホームズさんは何も言わずに、人差し指で自分の耳を指した。

その姿に円生は大きく目を開き、すぐに、ははっと笑った。

「なるほど、耳か……」脱力したように小さく洩らす。

「ところで、今回の勝負に『写楽』を選んだわけはなんですか？」

「……わけ？」

「あなたの心の叫びだったのではないですか？　その叫びを、僕に聞いてもらいたかったのではないですか？　あなたの内面は、本当に幼い子どものようで、可愛らしいですね」

笑みを湛えてそう言うホームズさんに、円生は目を開き、

「ほんまに——、忌々しい坊やな」とホームズさんの胸倉をつかんだ。

「ッ！」

皆が衝撃に顔色を失くすも、ホームズさんは動じる様子もなく、自分も同じように円生の胸倉をつかむ。

「図星だからと言って、大人げないですね」

互いに首をしめるように胸倉をつかみ、さらに手に力を込める二人に、周りは凍りつい
たまま動けない。

私も怖くて、膝が震えてくるのに、

「や、やめてください！」

気が付くと、二人の間に割って入ってしまった。

突然のことに驚いたのか、二人は手を離して私を見る。

「ふ、二人ともパーティの席ですよ、いいかげんにしてください！」

「……葵さん」

「真贋判定ゲームはもう終わったんですよね？　それじゃあ、もう終わりです。円生さん、
ちゃんと片付けてください！」

極度の緊張から、自分が何を言ってるのか分からないままに声を上げる。

会場は静まり返り、皆が呆気にとられたように立ち尽くす中、円生はポカンとしていた
かと思うと、プッと笑った。

「ほんまやな。今はパーティの最中で、ゲームが終わったんやから、ちゃんと片付けなあ
かんな。お嬢ちゃんの言う通りや」

クックと笑って、床に落ちた掛け軸を拾い、ホームズさんを見据えた。

「ホームズはん、よう覚えといてや。俺はほんまにあんたが好かん。すべてをズタズタにしたい思うくらいに好かん。次はほんまに、あんたを打ちのめしてみせるで」

「それは奇遇ですね。僕も同じように思います」

二人は互いに笑みを浮かべたまま、内側の黒い感情を隠すことなくぶつけ合い、皆はその迫力に気圧され、言葉もなく見守っていた。

6

その後、円生はそのまま姿を消し、ホールは微妙な雰囲気に包まれるかと思ったものの、好江さんが明るい笑顔で、パンパンと手を叩き、

「さあ、ゲームも終わったことですし、スイーツタイムにしましょうか」と、合図をしたことから、さまざまな種類の小さなケーキやデザートが用意され、たちまち場は、再び明るい雰囲気に戻っていた。

ホールにはソファーが置かれ、照明が少し落ちて、ジャズが流れ出す。

「いや、さっきの勝負はなかなか見応えがありましたね」

「あの人は一体何者なの？」

早くも話のネタになっているようで、客たちは少し興奮気味に語っている。

「ところで、オーナーの景品ってなんだったん？」

「景品は清貴が選んだんですが、ロードバイクだったんですよ。ビアンキってメーカーの」

「ええ、いいなぁ、そんな良いものが景品だったなら、モニター役を引き受けなきゃ良かった」

「あとは、ある大名家の売立目録ですって」

「……それは、遠慮するなぁ」

もう、すっかり元の雰囲気だ。

その一方で、ホームズさんの姿がないことに気が付き、私はパーティホールを見回した。

もしかしたら、バルコニーにいるのだろうかと窓際まできて、外を覗いていると背後で、「葵ちゃん」と、上田さんに声をかけられて、「はい？」と振り返った。

「さっきは、おおきに」

「えっ？」

「ほんまは、俺か武史が止めなあかんかったとこなんやけど、二人してなんや見入ってもうた。葵ちゃんが止めに入ってくれて、ホッとしたわ」

少し笑って言う上田さんに、「いえ、そんな」と私は首を振り、笑みを返した。

「でも、上田さんが『おおきに』だなんて、本当にホームズさんのもう一人のお父さんみたいですね」

「……せやな。俺には子どもがおらんのもあるんやけど、あいつは特別やねん」

親友の子ですもんね、と私が相槌をうつと、上田さんはふぅ、と息をついた。

「なんやろ、不思議なもんで自分の子やなくても、『好きな女』の子どもは特別なもんなんやなぁ」

独り言のように洩らした上田さんの囁きに、私は「えっ？」と瞬いた。

「これはここだけのナイショ話やで。若い頃、俺は勝手に武史の彼女に恋してもうて」

思いもよらない話に、私は言葉をなくし、呆然としたまま相槌をうった。

「……独身の頃の甘酸っぱい思い出やな。気持ちを押し殺して、結婚する二人を祝福したことも、彼女が妊娠した時はショックを受けてんけど、清貴を産んだ時はほんまに嬉しくて涙が出たことも、なんや昨日のことのように覚えとる。ほんでも彼女はアッという間に逝ってもうて……」

と、切なげな目を見せた上田さんに、胸が詰まった。

親友の奥さんに、秘めた想いを抱いていた上田さん。

もしかしたら店長にお見合いを勧めたり、再婚に一生懸命だったのは、同じ女性を想っていたがゆえの、複雑な想いがあったのかもしれない。

「……せやから、俺にとって清貴は特別やねん」

愛しかった彼女への想いも含めて、ホームズさんへの想いが強いのだろう。

「葵ちゃん、あいつはあの通り変わり者で捻くれ者やけど、これからも仲良くしたって」

ニコリと微笑んだ上田さんに、私は「は、はい」と頷いた。

そのまま背を向けた上田さんの背中をなんとなく眺めていると、秋人さんが「なあ」と私の元に近付いてきた。

「葵ちゃん、ホームズの姿なくね？」

「そ、そうですよね、いないですよね。私も探そうとしていたところなんです」

「あいつ、根暗なとこあるから、一人で壁に頭打ち付けたりしてねぇかな」

「い、いや、そんなことはないと思いますが」

私たちはパーティホールを出て、ホームズさんの姿を探した。

玄関前のホールに隣接している奥の部屋の扉が開いていることに気付いて、そっと近付く。照明が点いてなくて、月明かりが部屋を照らしていた。

そんな中、窓際に立つホームズさんの姿があり、

「や、やっぱ、あいつ暗ぇ」と、秋人さんは自分の体を抱き締めた。

「ホ、ホームズさん？」

恐る恐る声をかけると、ホームズさんはゆっくりと振り返った。

「ああ、葵さんに秋人さん、どうされましたか？」

「ホームズさんの姿がないので……」

　今回の勝負もとても微妙なものだったに違いないし、ひどく落ち込んでいるのかもしれないと心配になってしまった。

「心配してくださったんですね」

　優しい目で見下ろすホームズさんに、私は無言で頷いた。

「一人になって反省していたんです。葵さんに叱られましたし」

「し、叱られただなんて、私こそ頭が真っ白になって飛び出したりして、すみません」

　慌てて頭を下げた私に、秋人さんがプッと笑った。

「あん時、てっきり葵ちゃんは『ホームズさんに乱暴しないで！』って飛び出したのかと思えば、『二人ともいいかげんにしてください！』だったもんな」

　クックと笑う秋人さんに、気恥ずかしくて仕方ない。

「だ、だって、喧嘩両成敗（りょうせいばい）ですよね？」

　身を縮めて言うと、ホームズさんは「ええ」と頷いた。

「葵さんの仰る通りです。ありがとうございます。あなたのおかげで、僕たちも冷静になりましたし」

「僕たち？」と秋人さんが目を開いた。

「はい、認めたくはありませんが、僕と彼は似た者同士です。磁石の同じ極が反発してしまうように、互いに近付くことで、どうしても、過剰反応してしまうようです。葵さんに叱咤してもらえて、少し頭が冷えました」

まるで違うようで、似ている二人。

光と陰のように、対なる存在なのかもしれない……。

「それで暗くなって、暗い部屋で反省してたわけだ？　暗ぇな、マジで」

「いえ、月を愛でながら、除夜の鐘に耳を欹てていただけですよ」

「――えっ、まだ、そんな時間じゃねぇだろ？」

秋人さんは自分の腕時計に目を落とした。

「知恩院は十時半からつき始めるので、もう始まっているんですよ。そうだ、良かったら、これから初詣にいきませんか？」

「初詣？」

「少し歩きますが、今から祇園さんに向かえば、丁度良い時間になると思います」

ホームズさんの提案に、「は、はい、ぜひ！」「おう」と、私たちは強く頷いた。

「ところで、『祇園さん』って？」

「八坂神社のことです。通称『祇園さん』なんですよ」

「あー、たしかに言うよな、『祇園さん』って」

そのまま私たちはコートを羽織って、家頭邸を出た。

「――寒っ」

外に出ると、冷たい空気が体に染みる。だけど……、

「行きましょう」

ホームズさんの清々しいような笑顔に、心からホッとする。

「なんだよ、お前。もっと落ち込んでるかと思ったのに。空元気か？」

無遠慮に尋ねる秋人さんに、ホームズさんは愉しげに目を細めた。

「いえ、今回は前よりもスッキリしているんです」

「えっ？」

意外な言葉に、私と秋人さんは驚いて瞬いた。

「……写楽の贋作。あれは驚くほどにとてもよく描けていました。以前見せられた南禅寺の『瑞龍』や、先ほどの茶碗や書とは比べ物にならない出来栄えです。よほど、写楽になりきって魂を込めて描いたということなんでしょう」

そう話すホームズさんに、私たちは黙って相槌をうった。

「そして、彼はやはり『絵』に関しては、他のものよりも突出した才能を持っているのでしょうね。ハントの贋作も息を呑まされましたし、今回の浮世絵からは、『本物』が放つ迫力を感じたほどです。正直、一瞬ですが迷いました。写楽の本物などあるはずがない、でも、もしかしたら、どこかから見つけてきたのかもしれない、そんな考えが掠めたほどです。ほんの一瞬ですがね」念を押すように『一瞬』を強調する。

「ですが、すぐに写楽との違いを見つけられたんです」

「マジで?」

「ええ、ギリシャで見つかった扇の肉筆画、あれを僕とオーナーは観に行っていますから」

「違いって、さっき円生が言ってた耳ですか?」

身を乗り出した私に、ホームズさんは頷いた。

「ええ、耳です」

「そういえば、お前、前にも耳がどうこう言ってたけど、耳フェチかよ」

「そういうわけではないんですが、写楽は耳を五本の線で描く癖があったんですよ」

「円生は、五本線で描いてなかったのか?」

「いえ、勿論円生も同じように五本線を使っているのですが、それは『癖』ではなく、『意識』して書いていることが伝わってきたんですよね」

「つまり、耳から『円生個人』が伝わってきたわけなんですね」

そう問うた私に、ホームズさんは「はい」と頷いた。

写楽になりきってトランス状態で制作していたものの、写楽の特徴を感じさせなければならない『耳』に、気合を入れてしまった。

それをホームズさんは、キャッチしたわけだ。

「……とはいえ、『本物や』と言われた時は、彼が言う通り、ほんの一瞬、動揺してしまったので、完全勝利とは思っていませんが」

そう言って苦笑したホームズさんに、秋人さんはプッと笑った。

「だよな、あん時お前、動き止まってたもんな」

「ええ、それだけが悔しいです」

前回、ホームズさんは『勝利』しつつも、その勝ちに納得せずに、悔しい思いをした。

今回は円生に『引き分け』と言われようとも、ホームズさん自身、勝ったという思いが強いのだろう。もしかしたら、今度は円生が悔しい思いをしているのかもしれない。

「何より、『本物』だったら、切り裂くことなんてできないと思いますしね」

ホームズさんは静かに零して、柔らかく目を細めた。

秋人さんはその言葉の意図がよく分からなかったようで、首を傾けたあと、頭の後ろに手を組んで歩く。

私には、ホームズさんの言っていることが分かるような気がした。

ホームズさんはあれを贋作と判定して、ナイフを手にした時、きっと最後は自分の感覚に託したんだ。切り裂こうとして、もし直前で切り裂けなかったとしたら、自分のすべてが『本物』と認識したということに違いないと……。

でも、あれを切り裂くことができた。

それはつまり、自分の心と体が贋作だと判断してのことだということ。

実際、ホームズさんには、切り裂けなかったものがあったんだ。

それは、円生が書き記した、あの扇子——。

感情は切り裂きたかった、捨ててしまいたかった。だけど、できなかった。

『円生自身』が魂を込めて描いた、誰の真似もしていないあの絵と書は、紛れもなく『本物』だったからだろう。あの扇子は、そのことを教えてくれたんだ。

——本当に、因果な二人だ。

「あの時、『写楽を選んだのは、あなたの心の叫びだったのではないですか？』と聞いていましたが、それはどういうことだったんですか？」

静かに尋ねた私に、ホームズさんは苦笑した。

その表情から、あの時の発言を大人げなかったと恥じているのが、少し伝わってくる。

「……写楽は謎の絵師だったという話をしたのを、覚えていますか？」

その言葉に、秋人さんは「謎の絵師？」と首を傾げ、私は「はい」と頷いた。

「突然現れて、十か月で姿を消して、その正体は不明だとか。だけど、能役者だったという説が有力なんですよね？」

「ええ、斎藤十郎兵衛（さいとうじゅうろべい）という能役者だったのでは、という説が有力です」

「能役者は、副業禁止だから、内緒にしていたんですよね」

確認すべく尋ねた私に、ホームズさんは頷く。

「その、『副業禁止』ですが今の感覚とはまるで違ったんです。どれほどの咎めがあるのか分からない。ですから写楽は人生を懸けて正体を隠し、絵を描いていたわけです。これが、どういうことか分かりますか？」

視線を向けられて、私と秋人さんは息を呑んだ。

「……そのくらい、絵を描きたかった方なんですね」

「ええ、そう思います。絵を描きたいという、絵師としての本能が止められなかったのでしょう。そして、自分の絵が世間に認められてどんどん人気になる中、斎藤十郎兵衛は、決して自分を写楽と名乗ることができなかったわけです。

最初は楽しく思っていたかもしれませんが、隠している分、苦しくもなったはずです。

『この絵を描いたのは自分だ』と訴えたくもなったことでしょう。

そんな写楽の秘めた想いと、決して表に出られなかった贋作師である円生の想いが、僕には重なって感じられたわけです」

――自分を見てほしいという、切なる想い。

あの時の円生の激昂からすると、琴線に触れてしまったことは間違いないのだろう。

私の横で、なるほどなぁ、と、秋人さんは洩らした。

「そんなら、さっさと贋作師なんてやめて、米山っちみたくまっとうになりゃいーのに」

頭の後ろで手を組んだままシミジミと言う秋人さんに、ホームズさんは小さく笑った。

「ええ、たしかにそうですね。ですが、僕には彼の気持ちも分かるんです。……今はまだ、引き下がれないのやろ」

最後の言葉は、ほとんど独り言のようだった。

7

哲学の道から八坂神社までは、歩いて三十分と言われているらしい。

だけど、三人でいろんな話をし笑い合っていると、本当に三十分も歩いたんだろうかと思うほどに、すぐに八坂神社の楼門(ろうもん)が目に入った。

夜の漆黒にライトアップされて浮かび上がる朱色の楼門。

並ぶ提灯の明かりとともに、西に向かって続く、人で賑わう祇園商店街。

祇園祭の時も感じたことだ。

とても日本らしい光景なのかもしれないけど、すべてが幻想的で、まるで異世界に紛れ込んだような不思議な感覚。

呆けたように眺めていると、ホームズさんが顔を覗いた。

「あまりの人に驚かれましたか?」

「いやぁ、大晦日だし、こんなもんだろ。明治神宮とかの方がすげーんじゃね?」

「は、はい、私も大晦日だし混み具合は予想していました。それよりも、関東育ちの私にとって、この光景がとても不思議で幻想的で……。

　時代が移り変わっていく中、こうして『昔からのもの』が残ってくれていることが嬉しいですよね。勝手かもしれないですけど、京都にはなるべく『古都』のままでいてほしいと思いました」

　朱色の楼門に祇園の町を眺めながら、シミジミと呟いた。

　本当に、今も昔ながらのものがこうして残っていてくれることが、奇跡のように感じるから——。

「……そうですね、同感です。そもそも、京都が東京に首都を譲ったのは、『古都』を護るためだったのではと思っています」

　……京都が東京に、首都を『譲る』って。

　あまりに京都人らしい言い回しに、吹きそうになってしまった。

　でも、そうだ。京都が首都のままだったら、世界と付き合っていくために国際化しなくてはならなくて、この町にビルが建ち並び、神社仏閣は脇に追いやられと、絶対に今のままではいられなかっただろう。

　この町に棲まう社寺の神様たちがこの地を護るために、京都に首都を辞退させたのかもしれない——。

なんて、この幻想的な風景に影響されてか、そんなことを思ってしまう。

すると、今度は少し遠くからゴーンと鐘の音が響き出した。

知恩院とは別の鐘の音だ。

「――あれは、南禅寺の除夜の鐘ですね」

「へぇ、南禅寺の鐘も聞こえるんだな」

「あちこちから、かすかに聞こえてくる鐘の音なんて、情緒があっていいですね」

私たちは、そのまま人の波とともに八坂神社へと入って行った。

「やっぱり、さすが八坂神社ですね。すごい人！」

「ええ、僕もいつもは年末年始に来たりはしないんです」

「だよな、普通、市民は避けるよな」

「そんなものなんですか？」

「はい。でも、一度は来るべきだと思っているんですよね。今回は葵さんにも『をけら詣り』を体験してもらいたかったんです」

とホームズさんは、境内に吊るされた灯籠の火に目を向けた。

そこもまた、さらにたくさんの人が集まっている。

その灯籠の横には『白朮火』という看板。

集まっている人たちは『縄』のような物を手にしていて、それに火を点けている。

「をけら詣り……ですか？」

「はい、あの吉兆縄（きっちょうなわ）に火を点けて、その火を家に持ち帰って神棚のロウソクに火を点けたり、雑煮を炊く火種にすることで無病息災を願うものなんですよ。ちなみに火が消えてしまっても、あの縄は御守になるんです。ちなみに大晦日の夜七時から元旦の朝五時くらいまで配っているんですよ」

「へ、へええ、年末年始のみの行事があるんですね。知らなかった」

縄に火を点けるなんて、危なそうだけど、見てみると縄の先がじんわりと赤く、まるでお線香の先の火のような感じだった。

火が消えないように、クルクルと縄の先を回している人たちが多くいる。

「……でも、なんだか危なそうだな、あれ」

「ええ、お互いに気をつけつつですね」

ようやく本坪鈴（ほんつぼすず）の元まできて、私たちは賽銭を入れて、拍手をうった。

一年のお礼を心の中で伝える。

今年一年、いろいろあったけれど、素敵な一年だった。

本当にありがとうございました――。

心からのお礼を言って、参拝の列から離れる。

私たち三人は顔を見合わせて、

「あけましておめでとうございます」と、互いに頭を下げた。

「今年もよろしくな」

「……まぁ、ほどほどに」

「年明け早々、そんな寂しいこと言うなよ。ちなみに今年の俺の抱負(ほうふ)は、『公私ともにガンガンいこうぜ』だから」

「あなたらしくて良いですね。葵さんの今年の抱負は？」

突然、今年の抱負を振られて、少し戸惑う。

「ほ、抱負ですか？　まだ何も考えてなかったんですけど……。あっ、そうだ、これからはブラックコーヒーを飲めるようになりたい、と思っているんです」

拳を握りしめて、強い決意をあらわにした私に、ホームズさんと秋人さんは顔を見合わせたあと、吹き出して笑った。

「えっ、どうして笑うんですか？」

「そんなの、宣言するほどのことでもねーだろ」

「葵さんも、大人になろうとしているんですね」

あははと笑う秋人さんに続いて、わざとらしくシミジミと言い、感慨深げに胸に手を当てるホームズさんに、頬が熱くなる。

「お、大人だなんて、たいした抱負じゃなくてすみません」

「いえいえ、それでは……」

ホームズさんはその場を離れ、スタッフが配っている吉兆縄を三本受け取ってきた。

「早速、『をけら火』をもらって帰って、コーヒーを淹れましょうか。すぐそこに、八坂のマンションがありますし」

そう言って、私たちに吉兆縄を差し出す。

「はい、ぜひ！　八坂のマンションも行ってみたかったんです」

「おー、をけら火で湯を沸かして、新年最初のコーヒーを飲むなんて、なんだか縁起が良さそうだし、美味そうだな」

「本当ですね」

八坂神社はさらに人が増していく。

私たちは吉兆縄に火を点けてもらい、それを手に、気を付けながら境内を歩き、

「南門から出ましょう」

と、比較的人の少ない南門から境内の外に出た。

よく見かける朱色の楼門は『西楼門』らしい。

華やかな西門と比べて、南門はシンプルな石造りの鳥居だ。

「この南門って、清水寺に向かう時に使うよな」

鳥居を仰ぎながら言う秋人さんに、ホームズさんは「ええ」と頷いた。

「父と僕が住むマンションは、あそこなんですよ」

ホームズさんは、少し先にある建物を指した。

店長所有のマンションは、南門から出て清水寺に向かう途中にあった。

色合いはダークブラウンで、煉瓦のような外壁がモダンな、景観を損なうことのない落ち着いた雰囲気のマンションだ。

「へー、新しくはないけどいいマンションじゃん。八坂の塔が見えるだろ」

「ええ、それが父の自慢なんですよ。ですが、中はごく普通の３ＬＤＫですよ」

私たちはをけら火が消えないようにクルクル回しながら、マンションに向かって歩く。

「そうだ、ホームズさんの今年の抱負は？」

まだ聞いていなかったことに気付いて尋ねると、ホームズさんは、そうですね……、と足を止めて、少し遠くを見た。

「――去年は、我ながら情けなかったので、今年こそは……ですね」

独り言のように、それでも強い口調で告げる。

きっと、円生のことを指しているのだろう、私と秋人さんはそっと頷いた。

祇園の空には、今も除夜の鐘が鳴っている。

それはまるで、浮世に秘めた、さまざまな想いを受け止めるかのように、優しい響きをもっていた。

参考著作・文献等（敬称略）

中島誠之助『ニセモノはなぜ、人を騙すのか？』（角川書店）
中島誠之助『中島誠之助のやきもの鑑定』（双葉社）
内藤正人『浮世絵再発見　大名たちが愛でた逸品・絶品』（小学館）
高橋克彦『謎の絵師 写楽の世界　東洲斎写楽全作品集』（講談社）
高橋克彦『写楽殺人事件』（講談社文庫）
別冊太陽『蔦屋重三郎の仕事』（平凡社）
別冊太陽『写楽』（平凡社）
三木宮彦『ムンクの時代』（東海大学出版会）
ＮＨＫスペシャル 浮世絵ミステリー写楽～天才絵師の正体を追う～

双葉文庫

も-17-28

京都寺町三条のホームズ❸

浮世に秘めた想い

2023年8月9日　第1刷発行

【著者】
望月麻衣

【発行者】
島野浩二
【発行所】
株式会社双葉社
〒162-8540 東京都新宿区東五軒町3番28号
[電話] 03-5261-4818(営業部)　03-5261-4851(編集部)
www.futabasha.co.jp(双葉社の書籍・コミックが買えます)
【印刷所】
中央精版印刷株式会社
【製本所】
中央精版印刷株式会社

【フォーマット・デザイン】
日下潤一